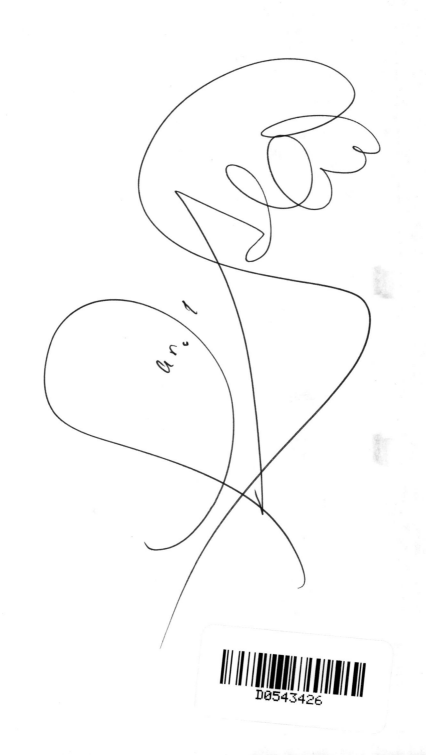

Changez d'attitude!

Osez agir, osez réagir!

Carol Allain

Changez d'attitude!

Osez agir, osez réagir!

Les Éditions
LOGIQUES

LOGIQUES est une maison d'édition reconnue par les organismes d'État responsables de la culture et des communications.

Nous remercions le Conseil des Arts du Canada, le ministère du Patrimoine canadien et la Société de développement des entreprises culturelles du Québec pour leur appui à notre programme de publication.

Gouvernement du Québec – Programme de crédit d'impôt pour l'édition de livres – Gestion SODEC.

Nous reconnaissons l'aide financière du gouvernement du Canada par l'entremise du Programme d'aide au développement de l'industrie de l'édition (PADIÉ) pour nos activités d'édition.

Révision linguistique: Michel Houle, Bianca Côté
Conception et mise en pages: Andréa Joseph [PAGEXPRESS]
Graphisme de la couverture: Christian Campana

Distribution au Canada:
Québec-Livres, 2185, autoroute des Laurentides, Laval (Québec) H7S 1Z6
Téléphone: (450) 687-1210 • Télécopieur: (450) 687-1331

Distribution en France:
Casteilla/Chiron, 10, rue Léon-Foucault, 78184 Saint-Quentin-en-Yvelines
Téléphone: (33) 01 30 14 19 30 • Télécopieur: (33) 01 34 60 31 32

Distribution en Belgique:
Diffusion Vander, avenue des Volontaires, 321, B-1150 Bruxelles
Téléphone: (32-2) 762-9804 • Télécopieur: (32-2) 762-0662

Distribution en Suisse:
Diffusion Transat s.a., route des Jeunes, 4 ter C.P. 1210, 1211 Genève 26
Téléphone: (022) 342-7740 • Télécopieur: (022) 343-4646

Les Éditions LOGIQUES
7, chemin Bates, Outremont (Québec) H2V 1A6
Téléphone: (514) 270-0208 • Télécopieur: (514) 270-3515
Site Web: http//www.logique.com

Changez d'attitude!

© Les Éditions LOGIQUES inc., 2001
Dépôt légal: Deuxième trimestre 2001
Bibliothèque nationale du Québec
Bibliothèque nationale du Canada
ISBN 2-89381-813-7
LX-923

5e édition

À ma mère et à mon père...

pour l'héritage d'une
profonde pensée...

Apprendre à retarder
les satisfactions.

Sommaire

*C*e livre, je le souhaite, donnera à chacun d'entre vous l'espace et la liberté nécessaires pour vivre pleinement les grandes émotions de l'âge adulte. J'aimerais m'asseoir avec vous pour briser vos silences, vos inquiétudes et vos incertitudes. Ce guide se veut un complément précieux dans une démarche de réflexion. De longues conversations deviennent nécessaires entre les êtres humains pour assurer une certaine cohérence entre les savoirs, les compétences humaines et les attitudes. Élargir notre participation à notre propre éducation devient désormais un passage obligé. Saisir une plus grande compréhension des relations avec autrui, d'exceller dans le pourquoi de nos perceptions, de nos émotions et clarifier le sens de nos valeurs représentent des défis auxquels nous sommes tous confrontés.

Dans l'immédiat, il faut réhabiliter l'intelligence par une trilogie des savoirs : le savoir, le savoir-faire et le savoir-être. Ceux-ci devront être utilisés conjointement dans une solidarité intelligente, dans la recherche de compromis humanistes entre le possible et l'idéal, le présent et le futur, la critique et l'affirmation, la compétence et la cohésion sociale. Je vous convie donc à une lecture que je pourrais qualifier d'audacieuse par ces propos, d'urgente par son contenu et de courageuse par sa nécessité à oser agir, réagir, dire et redire.

Si mes propos suscitent en vous des champs d'intérêts nouveaux, j'espère alors qu'ils seront de nature à
nourrir votre curiosité. Peut-être auriez-vous ainsi, tous
et toutes, une phrase, un chapitre à ajouter sur les
composantes des comportements humains. Je voudrais
vous prêter ma plume afin que vous puissiez inclure des
expériences qui vous ont particulièrement touché.
Une invitation à répondre à des questions vous est pro-
posée dans le dernier chapitre. Alors, bonne lecture,
et, avec impatience, au plaisir de vous lire!

Carol Allain

Préface à la nouvelle édition

Tant que tu vis, tant que cela t'est permis,
améliore-toi.

MARC AURÈLE, philosophe

près deux années écoulées pour la première édition du livre *Changez d'attitude!*, me voilà prêt à formuler quelques commentaires découlant à la fois des conférences, des témoignages, des lectures et d'une mise à jour personnelle des observations effectuées auprès des organisations de travail.

Il serait justifié de dire, dès maintenant, que les années 1990 ont entraîné un sentiment d'insécurité à double direction: l'individu et la société se sont à la fois verrouillés de l'intérieur comme de l'extérieur. Nous, citoyens modernes, répugnons désormais aux interrogations trop directes. Sur les questions essentielles, nous préférons les débats de procédures, de règlements, de structures; nous privilégions les questions de méthodes plutôt que les urgences basées sur le respect des valeurs. Pour ces dernières, et assez extraordinaire-ment, nous faisons comme si les choses allaient de soi ou, pire, pouvaient toujours être remises à plus tard. On ne se risque plus beaucoup à aborder de front ce qui touche à l'essentiel. Aussi, en ce début du nouveau mil-lénaire, faut-il se demander, avec une immense modes-tie, ce que nous voulons faire de nos lendemains sans, une fois encore, risquer de déchanter. C'est à cette prudence que je voudrais, de façon téméraire, contreve-nir. C'est aux questions fondamentales que j'aimerais m'intéresser, sans trop de détours.

Dans l'air du temps, quelque chose sonne faux et nous alarme. La marche du monde s'est accélérée. Le futur le plus immédiat fait dorénavant figure de mystère annoncé. Chaque lendemain est imprévisible. Nous avançons à marche forcée, mais la vue brouillée et le cœur battant. Sous l'effet de changements aussi rapides, notre rapport au temps a été transformé de fond en comble. Si l'avenir n'est plus lisible au-delà du très court terme, la représentation du passé, elle aussi, a été raccourcie dans des proportions comparables. Sans en avoir conscience, aveuglés par le présent, nous avons cheminé dans l'indifférence.

Ce ne sont pas là des impressions dispersées. En 1991, le magazine culturel new-yorkais *Spy* avait publié une longue étude consacrée à notre perception du passé. Il s'agissait de savoir quelle idée nous nous fai-sions du «bon vieux temps» et surtout à quelle époque nous choisissions de situer nos regrets. Après maintes analyses, agrémentées de courbes et graphiques, le journal en arrivait à une conclusion singulière. Notre disposition à la nostalgie devient sans cesse plus intense mais, statistiquement, le «bon vieux temps» n'en finit pas de se rapprocher. À mesure que l'avenir devient incertain, nous devenons davantage nostalgiques du passé, mais c'est un passé de plus en plus récent.

Il n'y a pas si longtemps, les années 1960 incarnaient le bonheur enfui des enfants du *babyboom* qui se souvenaient des scooters, des robes de Vichy et des chansons des Beatles. Aujourd'hui, la décennie précédente – par exemple, les années 1990 – est déjà perçue avec une tendresse mélancolique. À ce rythme, on invoquera bientôt l'avant-dernier semestre en y voyant un âge d'or disparu.

Nous pourrions qualifier la fin du dernier siècle de repli sur soi, de dépendance, de conduites masquées, de vitesse et d'oubli. Les questions d'argent, la surconsommation, la fatigue, le stress et le désintéressement face aux questions familiales en sont les conséquences directes. La domination du matérialisme rationnel a étouffé, marginalisé, chassé de la vie professionnelle et institutionnelle ce qui ressort à l'hémisphère droit du cerveau: l'émotion, le goût, la nuance, les passions, le sens du concret et du particulier, la médiation, la spiritualité, la rêverie et les utopies. Cette sensibilité a été exclue du monde du travail et du pouvoir, du savoir et de l'argent.

Mais ce discours dissimule une hypocrisie et une ignorance avec, comme première observation, que le

désintéressement s'aggrave! Lorsque nous vivons dans un monde axé sur la matière, les bénéfices, les gains, le *je, me, moi*, au détriment de la sensibilité, de la courtoisie, de la transparence, il est inévitable que nous allions droit à la déprime. Nous nous enfermons dans une bulle où il n'y a plus ou peu de mobilisation intérieure. Nous choisissons le prêt-à-porter, la facilité, la consommation. Nous oublions de poser des questions. Nous minimisons l'importance de la réflexion. Les bonnes manières se perdent. Comme l'affirmait E.L. Doctorow, l'auteur de *Ragtime*, dans un entretien diffusé par le réseau PBS: «Nous avons verrouillé la porte et baissé le store. Notre champ de vision s'est rétréci». Nous nous installons dans une forme de *cocooning* passif. Nous critiquons à outrance et jugeons avec sévérité; notre perception de la réalité s'est altérée. La rivalité s'est emparée de nous au point que nous cherchons à combler nos malheurs, nos moments sombres dans divers jeux d'apparences, de fuites et de provocations.

Mais nos intentions doivent être claires. On ne se méfie jamais assez d'éventuels malentendus. C'est d'abord eux qu'il s'agit de localiser pour mieux éclairer nos engagements et nos actions. Concernant le projet qui justifie ce livre, j'en discerne au moins cinq.

LE LANGAGE DES ÉMOTIONS

Le premier malentendu concerne évidemment ce qu'il est convenu d'appeler «la morale et les valeurs»; autant d'expressions solennelles qui habitent l'esprit du temps. Il est nécessaire de retrouver le vrai sens des choses.

Cette difficulté à traduire nos émotions et, par la même occasion, à se laisser guider par une forme d'inconscience permanente, profite à des marchands d'illusions, à des vendeurs de tout acabit. Nous nous retrouvons sur une forme de nuage collectif. Rappelez-vous que plus notre vie s'inscrit dans un cadre où ce sont les autres qui la contrôlent, plus nous finissons par vivre dans des relations humaines qui transigent avec nous sous la bannière du mensonge et du mépris.

La cause de cette attitude que nous pourrions qualifier d'inconscience ou encore de volonté cachée d'un système qui nourrit l'absence de réflexion est plus profonde: il s'agit d'un mélange d'insécurité, de fuite, de peur et de recherche de réponses toutes faites. Ces sentiments cohabitent à l'intérieur de la personne et se dissolvent comme une drogue en apparence saine, mais combien destructive. C'est le chacun pour soi et le chacun chez soi. Nous habitons la honte, nous nous installons dans le temporaire, le passager et, finalement, dans l'inutile.

La manipulation! Elle est l'invitée surprise de bien des milieux de travail, de bien des conversations et aussi de ce qu'on appelle nos amis. Nous sommes beaucoup trop attentifs à ce qui fait mal et à ce qui va mal. Mais avons-nous vraiment le choix? Est-ce l'ignorance qui nous envahit ou la peur qui nous paralyse? Une vérité demeure: nous sommes devenus étrangers à notre propre sensibilité. Confrontés aux éternelles

17

questions «Qui sommes-nous?» et «Où allons-nous?», nous sommes totalement désemparés. Et enfin, quel individu incarne le mieux nos ambitions confuses et contradictoires?

Aujourd'hui, tout a basculé. La guérison implique peut-être une certaine remise en question. Quand comprendrons-nous que la vraie richesse ne naît que de la patience et de la réflexion? Comme le précise l'essayiste et journaliste français Pierre Lepage: «Plus il y a d'information, moins il y a de réflexion».

Nous devons consentir ensemble à développer une tolérance à l'ambiguïté. Dans une société d'indifférence, où les repères nous font de plus en plus défaut, le nouveau vocabulaire social s'appelle désormais culture médiatique.

La publicité s'empare de nous; elle prend le relais et vend désormais des idées plutôt que des produits. Plus encore, cette folie des marchands est de créer en nous un désordre dans le seul but de vivre des sensations fortes pour mieux oublier le vrai questionnement. La parole n'a plus de place; seule la consommation subsiste avec, comme arrière-pensée, «Ne cherchez pas à comprendre.» Il n'y a pas de plus grande violence subtile que la consommation, quelle que soit sa forme, son contenu, son intention. Elle a compris qu'après les paillettes des années 1980 et le repli sur soi généré par la crise des années 1990, l'époque actuelle est à un individualisme expressif. Épanouissement, recherche de différenciation personnelle, libre arbitre: l'effet recherché est l'adhésion à un système de valeurs. Nike a donné le ton avec son *Just do it*; Calvin Klein prône l'individualisme; Hugo Boss affiche son anticonformisme; Lacoste se fait philosophe. Il ne faut pas être grand philosophe pour se rendre compte que la confusion règne dans nos esprits et que notre mental suragité se trouve souvent dans un état chaotique.

Tant que l'éveil n'habite pas tous les recoins de l'être, il reste prisonnier de mécanismes de protection ou de fuite. Le paysage médiatique contribue aussi à nous séparer les uns des autres plutôt qu'à nous rapprocher. Étrange paradoxe. Les instruments de communication encouragent la déconnexion et la fragmentation. Rappelez-vous ce que José Saramago, Prix Nobel de la littérature, disait lorsqu'il affirmait qu'un courrier électronique ne pourrait jamais être barbouillé par une larme.

La nécessité d'une nouvelle ouverture sur le monde s'impose. On ne peut pas se recentrer (à l'intérieur de soi) et, en même temps, s'ouvrir sur le monde… L'important est de savoir comment les hommes et les femmes peuvent vivre ensemble.

Nous naissons dans l'angoisse, nous mourons dans l'angoisse. Entre les deux, la peur ne nous quitte guère. Une angoisse si lourde, si provocante, qu'elle nous étouffe avant même que nous n'ayons dit un seul mot, fait un seul geste, posé un seul regard. Un peu de chair ou d'âme exposé là, en attente d'on ne sait quoi. Sans défense. Sans secours. Sans recours. Partout, l'obligation de posséder n'échappe pas au jeu ordinaire du désir. Il s'agit toujours de jouir le plus possible et de souffrir le moins possible: la consommation n'est qu'une occurence parmi d'autres du principe de plaisir.

Je veux comprendre pourquoi nous restons immobiles tout en croyant que nous sommes convaincus de nos choix, de nos désirs, même s'ils sont de plus en plus égoïstes et illusoires. Mais nous sommes entrés dans l'ère de la paresse qui surgit et nous endort quand nous acceptons que tout est relatif et que la bêtise n'est qu'un des aspects de la nature humaine. Nous acceptons, nous tolérons, nous démissionnons. Rien n'a d'importance. Un silence collectif; non, pardonnez-moi, parlons plutôt d'une agonie des sens. Notre indifférence se lit autant dans ce qui nous est imposé dans le système, voire le système d'éducation, le milieu de la santé, la nouvelle économie du savoir, les nouveaux programmes politiques, qu'à l'égard de nous-mêmes. «On travaille comme des fous pendant 20 ans, puis, on arrête de travailler pour s'amuser comme des fous. Notre société est excessive dans tout.» (Bernard Arcand, anthropologue)

COMMENT ÉCHAPPER À LA MÉLANCOLIE?

Le second malentendu tient à ce que j'appellerais la futilité de toute déploration. Quiconque s'affronte à ces questions fondamentales, quiconque ne se satisfait ni de l'injustice ni du nihilisme ambiants se voit immanquablement sollicité par la nostalgie. La plupart des critiques de la modernité tombent en réalité dans ce panneau et donnent l'impression d'être principalement habitées par la mélancolie. Il me paraît nécessaire d'inventer des démarches critiques sensiblement plus allègres et même, pourquoi pas, plus gaies. En tout cas, c'est «vers l'avant» qu'il nous faut réfléchir, dans une adhésion lucide aux temps futurs, mais sans soumission préalable ni renoncement. C'est aussi dans cette perspective que ce livre a pris naissance, c'est-à-dire dans le fait de redonner au lecteur ce droit au plaisir, à la considération, au souci des autres et, en primeur, à remettre en question le chacun pour soi et rien pour les autres.

On a beau dire, il y a toujours eu des penseurs pour chanter la liberté plutôt que le travail, qui contraint l'humanité. À chaque temps son mode de libération: l'esclave se révolte et devient Spartacus; ou, stoïcien, il «s'évade dans la philosophie», comme le disait Hegel. Pour ce faire, nous avons eu les moines, fameux rêveurs et bâtisseurs. Puis sont venus les poètes, fugueurs rebelles. Un siècle plus tard, le fugueur est syndicaliste, ou simplement... «jeune». Aujourd'hui, si moines, poètes et fugueurs ne sont pas rares, les valeurs qu'ils incarnent ont moins de consistance. **Où va donc se nicher l'éloge de la paresse? Dans la déprime!** Féconde en temps perdu, riche de ressourcement, la dépression est une porte de sortie dûment socialisée: remboursée, populaire, voire littéraire; une bonne affaire. Le cadre supérieur accroché au travail de façon névrotique n'a, pour être un peu seul, que cette issue. Évidemment, il y a un prix à payer. Insomnies, oubli, craintes et tremblements... Toute rébellion comporte des conséquences. Plus nous recherchons le pouvoir, plus le sens de la vie nous échappe. Nous savons tous que les hommes de pouvoir aiment s'entourer de courtisans et de flatteurs, ce qui les conduit parfois à perdre le contact avec la réalité.

Que ce soit TQS, SRC, TVA, CBS, PBS, CTV et j'en passe, ces réseaux d'informations n'expliquent rien, ne nous aident pas à comprendre les défis personnels auxquels nous aurons à faire face. Ils s'observent et espèrent que l'un ou l'autre concurrent dérape pour triompher. Nous devrions tous cesser une journée entière, une semaine, un mois, voire une année, d'écouter et de regarder ces réseaux médiatiques conçus pour enchaîner notre esprit. Victor Hugo avait cette devise révolutionnaire et formidablement lyrique: «Tout pour tous!» La télé l'a remplacée par: «N'importe quoi pour la masse!»

Oui, la télévision, c'est vieillot, ça bafouille, ça pleurniche. Ça ne crée pas, ça ne craque pas, ça ne captive pas, ça ne rit pas. Ça devrait être programmé avec un carré blanc: interdit aux moins de cent vingt ans. Ce sont des lumières qui bougent pour égayer la vie des légumes. La souffrance et la détresse se vendent bien. La télé est prête à tout pour gagner des parts de marché, même à montrer ce qui lui sautera à la gueule dans dix ans, du moment que la veille au soir, on a obtenu dix points de plus que la chaîne concurrente.

La télévision est utilisée comme moyen de diffusion d'un minimum de culture frelatée et bon marché à destination des masses. Elle nivelle les classes sociales par le bas.

Je soutiens que nous savons de plus en plus de choses, mais que nous en comprenons de moins en moins. Avons-nous senti profondément la différence entre être informé de quelque chose – ce qui caractérise notre époque – et être conscient de cette chose? Les adultes se sentent constamment dépassés. Le rêve est interdit aux jeunes. Pourquoi cette absence que d'aucuns, moi le premier, ont confondu avec de l'inconscience. Plus profondément, je crois qu'on a décidé de renoncer. Apprendre à vivre est difficile, ce qui explique que la majorité des gens y renoncent et choisissent plutôt l'apprentissage du prêt-à-porter, de la facilité, du confort douillet, quelque chose qui ressemble à du *fast-food*, l'absence de contact, une préférence au confort tranquille. Nous baignons dans cette mouvance qui laisse entendre qu'on peut et doit toujours éviter la difficulté et que l'effort ou la douleur sont des erreurs que la civilisation est en train de corriger. Nous avons cessé de reconnaître l'obligation de nous arracher à autre chose qu'à nous-mêmes.

Nous devons peut-être aspirer à nous laver de notre égoïsme, à nous donner plus qu'à nous prêter, à trouver le moindre petit geste, le moindre petit mot pour embellir la journée de celui qui nous effleure. La mélancolie reste une partition qui inquiète notre âme.

EST-IL ENCORE POSSIBLE DE PENSER GLOBALEMENT?

Le troisième malentendu – il faudrait plutôt parler de défi – tient à notre impuissance devant la complexité sans cesse plus intimidante de la connaissance humaine. «Le réel est énorme, s'exclamait naguère Edgar Morin, hors normes par rapport à notre intelligence.» (*Science et conscience*, Fayard, 1982) Nous ne pouvons plus prétendre à autre chose qu'à des compétences partielles, locales, circonscrites. Nous avançons avec incohérence vers un horizon d'appartenances multiples, d'identités plurielles, de raison modeste et de réseaux complexes. Que ce soit dans les «sciences dures» ou dans les «sciences molles», chacune des disciplines traditionnelles a d'ores et déjà éclaté en mille territoires autonomes, bien trop occupés par la complexité de leurs champs respectifs pour songer à communiquer avec le dehors.

Si la vertu implique le connaître, nous ne sommes égarés que par un défaut de connaissance. Veillons donc à ce que la nouvelle complexité du savoir ne serve pas d'alibi à la sottise dominatrice. Plus que jamais s'impose le besoin de perspective, de cohérence, de réflexion «panoramique», à défaut de pouvoir être encyclopédique. Réunir dans notre main l'essentiel de l'intelligibilité du monde, rassembler les morceaux de ce miroir brisé dans lequel nous cherchons sans répit le reflet de notre humanité. Ce qui est souhaitable, disait Hegel, c'est une «mythologie de la raison», de sorte que «les gens éclairés et ceux qui ne le sont pas finissent par se donner la main».

Penser globalement, c'est chercher à insérer le rapport à soi (se connaître, s'accepter, être honnête), à l'action (agir, accepter l'échec) et aux autres (s'affirmer, être empathique, apporter du soutien social) dans le quotidien de ses responsabilités.

Un rappel au monde du travail, attitude oblige, de revoir l'ensemble de nos comportements humains. Nous naviguons toujours vers plus de bénéfices, plus de contrôles, plus de complexités, plus de technologies au détriment de la considération d'autrui. J'expose cette réalité en connaissance de cause: par ma profession de conférencier, il est urgent de ralentir le rythme, de faire recours à notre double intelligence (rationnelle et émotionnelle) et de réfléchir sur les valeurs, ne serait-ce que pour inviter les silencieux, les incompris et les indifférents à partager leurs douleurs, leurs idées ou leurs contraintes. Tout se désorganise pour finalement espérer quoi? Remporter une victoire de chiffres pour gonfler le compte bancaire de tous les intéressés, mais qui influence de façon tragique l'équilibre de vie de bien des gens? Alors, qu'est-ce que vous préférez: réussir dans la vie ou réussir votre vie? C'est à nous d'y penser, sans attendre et sans attente. Tout le mal provient de la confusion entre ce qui nous est nécessaire et ce que nous désirons.

En ce qui concerne cette globalité, voici quelques observations qu'il m'a été donné de faire au cours de la dernière année, dans la pratique de ma profession de conférencier en matière de psychologie du travail, ainsi que les témoignages de participants et d'auteurs:

- «À l'école, la mémoire qui nous intéresse est dans notre cerveau, pas celle d'un disque dur! L'État dépense des millions pour équiper les établissements scolaires en systèmes informatiques alors qu'il ferait bien mieux de renouer avec le contexte affectif et de créer des postes afin de limiter à vingt le nombre d'élèves par classe.» (Un enseignant du niveau secondaire)

- Quand les universités choisissent de se soumettre à la logique de l'entreprise privée, elle se tire dans le pied. En fait, selon le philosophe Albert Jacquard, en reprenant à son compte le modèle de la compétitivité, l'université enseigne à ses étudiants à se mépriser. Son grand objectif devrait, au contraire, être de les initier à l'art de la rencontre.

- «Les entreprises sont constamment en réorganisation; les définitions de postes sont de plus en plus imprécises et les mandats qu'on donne aux individus sont généraux. Il est urgent que le savoir-faire des gestionnaires se marie avec le savoir-être.» (Un gestionnaire de la Banque Nationale du Canada)

- «Si on veut transmettre quelque chose dans cette vie, c'est par la présence bien plus que par la langue et par la parole. La parole doit venir à certains moments, mais ce qui instruit et ce qui donne, c'est la présence. C'est elle qui est silencieusement agissante.» (Christian Bobin, *La grâce de la solitude*, Les Éditions Dervy, Paris, p. 39)

• Une inquiétude inconfortable s'est emparée des leaders de la politique mondiale. «Nous vivons une révolution mondiale, annonce ces derniers temps Boutros Boutros-Ghali, le secrétaire général de l'ONU lorsqu'il donne des conférences. Notre planète est sous la pression de deux forces monstrueuses et antagonistes: la globalisation et la fragmentation.» Profondément inquiet, il ajoute: «L'histoire montre que ceux qui se trouvent au cœur d'une transformation révolutionnaire en comprennent rarement le sens final.»

• La véritable critique que l'on peut faire aux organisations de travail n'est pas qu'elle soit fondée sur l'économie, mais que son rapport aux bénéfices soit fondé sur l'intérêt personnel.

• «Qu'est-ce que la motivation? Ce n'est ni de l'expérience, ni du savoir-faire, ni encore de la capacité de travail. La motivation, c'est de l'affect. C'est mettre dans son travail une dimension affective qui, selon les expressions, "vient du cœur" ou des "tripes". La motivation réduit la distance nécessaire entre le faire et l'être. Or, par définition, ce que je fais ne peut être parfait et est donc critiquable. Plus encore, lorsque la critique ne peut plus être entendue ou acceptée, il n'y a plus de progression possible.» (Éric Albert, psychiatre)

LA QUÊTE D'UNE IDENTITÉ EST DEVENUE L'URGENCE DU MOMENT

Le quatrième malentendu, toujours à craindre, c'est que chacun d'entre nous, au fond, pressent que quelque chose s'est déréglé – et dangereusement – dans notre rapport au temps, à la durée, à l'avenir. Nous nous méfions des grandes aventures politiques et des utopies «totales». Le monde entier est confus. Une interrogation fondamentale nous hante, que nous n'osons pas toujours exprimer. Un jeune adulte accédant aujourd'hui au marché du travail aura moins de chances que ses parents de jouir d'une vie confortable. Où puisera-t-il alors sa motivation? Comme le souligne un essayiste américain, qui en fait le titre de l'un de ses livres, nous sommes entrés, du moins les classes moyennes, dans «l'ère de l'espérance en baisse». (Paul Krugman, *The Age of Diminishing Expectations*, Mit Press, 1990)

Non seulement l'avenir ne sourit plus, mais il est devenu indéchiffrable. Sa représentation se brouille comme une image qui s'efface. À l'enchaînement paisible des générations succède la guerre entre jeunes et vieux. La solidarité cède le pas à la dispute. L'effacement de l'avenir découle d'un durcissement du présent.

28

Il nous faut apprendre à conjuguer différemment deux dimensions de notre existence: vivre dans le moment présent avec ses joies et ses contraintes, et vivre dans le passé et dans le futur. Cet équilibre sans cesse recherché et toujours précaire fait ressortir l'importance de la tolérance.

L'individu moderne est habité par une quête éperdue de satisfactions. Par ailleurs, il refuse d'admettre que le vide qu'il ressent puisse venir en partie de lui-même. Il ne cesse de tout réévaluer: ses appréhensions, ses rêves, ses envies, etc. Notre réalité quotidienne ne se situe-t-elle pas souvent entre désir et renoncement? Il semble donc essentiel de ne plus aborder le désir de manière isolée (comme c'est souvent le cas), mais, au contraire, de réfléchir sur la relation désir-renoncement, qui reflète avec bien plus de réalisme ce que nous vivons dans nos vies intimes, familiales ou professionnelles.

Que désirons-nous? Pourquoi désirons-nous? Quelle est la raison d'être? Est-il véritablement nécessaire de renoncer à nos désirs pour éviter la souffrance de l'insatisfaction? Quelle est la frontière entre le renoncement et l'indifférence? Pourquoi sombrons-nous si facilement dans l'envie, la tentation, la jalousie?

La quête d'une identité, c'est une traversée, un parcours entre la douleur d'un côté et le bonheur de l'autre. Dans le domaine humain, il n'est pas toujours facile de distinguer la complétude de la joie, et de donner du sens à ce que l'on fait. C'est avec plus ou moins d'obscurité, de confusion et de contradictions que nous parcourons notre route, sans forcément reconnaître ces aspects, les comprendre et les accepter.

Le chemin d'une quête de l'identité n'est pas rectiligne; il est composé de droites, de courbes et d'angles qui en font à la fois son charme et son ambiguïté, sa lumière et son mystère.

L'essentiel est de toujours demeurer vigilant quant aux imitations frauduleuses ou aux cousins nécessiteux que sont, par exemple, les envies et les besoins, si l'on veut retrouver le goût léger et pétillant de la simplicité.

L'infiniment simple a une saveur d'éternité dont la vie, avec une patience toute maternelle, nous invite continuellement à goûter les bienfaits.

LE *JE* A BESOIN DU NOUS POUR EXISTER

Le dernier malentendu concerne la liberté individuelle; nous voilà pris de vertige devant notre propre victoire. Celle-ci est désormais si totale qu'elle nous affranchit et nous oppresse tout à la fois. Chaque jour, au plus profond de nous-même, nous ressentons le poids de ce dilemme: une absolue liberté alliée à un absolu désarroi. Héritage de la modernité dont nous ne savons plus dissocier les tenants. Nous nous sentons pris au piège. Pour rien au monde, nous ne renoncerions à notre autonomie, mais nous n'en pouvons décidément plus de ce vide. Nous balançons sans relâche entre la conscience d'un privilège (le fait d'être soi-même) et l'obscur sentiment d'un deuil (la solitude individuelle).

Tout seul, nous aboutissons dans le désordre. L'essence humaine n'est pas une chose abstraite, inhérente à l'individu isolé. Elle est, en réalité, l'ensemble des relations sociales. Par extension, le mot social qualifie la priorité accordée au groupe, à l'ensemble, à la communauté, plutôt qu'à l'une de ses «particules élémentaires» (Michel Houellebecq, *Les particules élémentaires*, Flammarion, 1998), c'est-à-dire l'individu.

À l'issue d'un si long chemin, au terme d'une magnifique conquête de la liberté et de l'autonomie, l'individu bute en définitive sur une évidence qui peut se formuler assez simplement. Il ne suffit pas de dire que le *moi* a besoin du *nous*, sans quoi il sombre dans l'indifférence et le repli sur soi; la dépendance est plus forte encore. Le *nous* est partie intégrante du *moi*, voilà la vérité. La présence de l'autre ne me prive pas d'une partie de moi-même, sous l'effet de je ne sais quelle prédation. Bien au contraire, elle me construit dans mon être véritable. Je suis fait de l'autre comme d'un matériau originel. De lui, je reçois langage, conscience et identité. C'est l'autre qui me définit comme personne et fait de moi autre chose qu'une marionnette vivante. L'individu émancipé de la culture occidentale se trouve engagé, bon gré mal gré, dans ce réapprentissage de l'autre que l'individualisme lui avait désappris. Si le *moi* est aujourd'hui en quête de *nous*, c'est pour se retrouver lui-même. Là se trouve sans aucun doute la bonne nouvelle et le changement d'attitude peut s'amorcer.

Je reste un adepte de l'optimisme qui consiste à mettre en œuvre de petites améliorations successives.

C'est un optimisme fondé sur la confiance dans la communauté humaine.

... LE BONHEUR

Et si nous étions repartis pour un tour d'euphorie collective, l'un de ces moments historiques où l'on croit que tout est permis parce qu'on croit au progrès, à la modernité, à l'audace, aux autres et à soi-même, bref à l'avenir? Ce n'est pas qu'une impression. Il y a des signes. Un élan du citoyen, une volonté de renouer avec les valeurs. Une exigence d'équilibre, d'harmonie et de maîtrise du temps, au moment où tout s'accélère. L'air est à la légèreté, à l'imagination, à la solidarité. On a envie de changer de vie, de changer *sa* vie.

Comment jouir du temps, jouir de sa vie? Le plaisir est partout. **C'est une attitude.** On publie actuellement avec succès une infinité de manuels de savoir-vivre qui enseignent avec un sérieux confondant comment cultiver son ego et rester zen. On revisite les vieilles recettes philosophiques. On redécouvre que le bonheur ne tombe pas du ciel (*Les dix Commandements*, Marc-Alain Ouaknin, Seuil, 1999) et que le vrai plaisir surgit aussi des libertés bridées.

Les Occidentaux cherchent à se retrouver. Ils demandent de l'air, du temps libre. Ils réclament de l'autonomie pour enfin vibrer, créer, se développer personnellement. «Désormais, la plus grande valeur d'opposition, c'est la flânerie.», affirme le sociologue David Le Breton, qui vient de publier *L'Adieu au corps*

(Métailié). Flâner seul, pour choisir son rythme dans un monde trop balisé, trop mécanique, trop orgueilleux. Flâner à deux, pour donner du plaisir. Flâner en groupe, pour avoir le sentiment d'appartenir à une collectivité, pour frissonner ensemble. Le retour à la famille est devenu une valeur positive. Les gens se serrent les coudes pour une cause ou pour la douceur d'être plusieurs. Là, comme en famille, ils se reprennent en main. Ils fabriquent du bonheur ensemble, pour donner une nouvelle dimension à leur vie. La quête du plaisir – celui qui est là, tout près, et qu'on oublie souvent de savourer ou d'offrir – n'est pas seulement un petit luxe égoïste: c'est une arme pour cesser de subir; pour faire de son existence un art; pour, fièrement, jouir de la vie.

Nous devons cesser de perdre notre vie à la gagner, pour en faire, au contraire, une œuvre d'art, une source de plaisir et de fête.

On en a assez de l'individualisme, de la grisaille, de la critique et de l'anonymat: pourquoi ne pas recréer son village, reprendre plaisir à la convivialité? Pourquoi ne pas se faire du bien: soigner son corps, à l'intérieur et à l'extérieur; se faire plaisir, masser, envelopper d'argile de la tête aux pieds; effectuer un retour à la campagne; boire du vin qui délivre; savourer le parfum du cigare; s'imprégner de culture, de musique, de visites de musées? Oublier cette peur de se jeter dans des domaines que l'on maîtrise pas. C'est le plaisir du risque. L'épanouissement prend du temps; il vient de l'intérieur et se déploie lentement comme une fleur.

L'être humain est en mouvement vers l'avenir, dans un élan pour exister, pour compléter ses manques et accéder à la satisfaction.

Que cette satisfaction soit vécue sous la forme du plaisir, du contentement, de la joie, ou encore du respect, il y a un accomplissement qui se complète par le mouvement du désir.

Le désir est quelque chose qui construit et qui donne du sens à la vie.

... LE RENDEZ-VOUS AVEC LE MONDE

Une courte halte s'impose puisque la boucle est bouclée. Les cinq malentendus énumérés dans ces pages sont évidemment imbriqués les uns aux autres. Point n'est besoin d'une longue réflexion pour comprendre de quelle façon ils se confortent – ou se nuisent – mutuellement. Quelle que soit la valeur fondamentale que l'on choisisse d'examiner en premier, on voit vite que la fragilité spécifique qui l'affecte renvoie aussitôt à la fragilité de toutes les autres. Il y a même quelque chose de troublant dans la cohérence implacable de ce besoin de changer d'attitude à l'intérieur duquel nous sommes tous invités, du moins ne serait-ce que par une réflexion, un temps d'arrêt pour soi et pour les autres.

Je donne aujourd'hui et je recevrai demain; tu donnes maintenant et tu recevras plus tard: c'est à nous de réfléchir. Le règne du «à quoi bon?» et du «chacun pour soi» est terminé, sinon nous nous dirigeons dans un vide sans précédent. Une vérité demeure: dorénavant, nous n'avons plus le droit d'oublier.

Ces cinq périls imbriqués les uns aux autres nous désignent donc en creux les cinq principes qu'il s'agit de reconstruire sans cesse et de défendre, jour après jour. On voit bien de quels principes il s'agit. Ils sont assez simples: l'espérance retrouvée plutôt que la dérision; l'égalité défendue contre la domination; la solidarité et les convictions communes opposées à l'individualisme égoïste.

Le reste du monde n'est plus lointain. Il ne le sera jamais plus. Le monde en question n'est pas seulement à notre portée, il n'a pas seulement rétréci; il nous a rejoints jusqu'à l'intérieur de nous-mêmes. La globalisation, la mondialisation, que l'on invoque à tort et à travers, ne se résument pas à la simple ouverture de nos frontières, de nos commerces ou de nos curiosités; de façon plus essentielle, elle signifie une irruption du monde et de l'altérité, au cœur de nos sociétés et de nos consciences. Le dedans et le dehors se confondent: le monde est déjà là. Tout entier. C'est désormais chez nous que s'enchevêtrent les différences et les exotismes; c'est à l'intérieur de nos frontières que se nouent les contradictions et les paradoxes et que nous devons affronter.

Nous avons vu que les valeurs fondamentales formant ces malentendus n'étaient jamais que le produit exceptionnel, fragile et aléatoire de circonstances particulières. Au fond, la question initiale, celle qui habite ce livre depuis la première page, est celle de la nécessité impérative de revoir nos attitudes individuelles et collectives; donc, de renouer avec les principes essentiels, les valeurs, les émotions, les convictions communes et les représentations collectives qui nous permettent de vivre en société.

Dans les pages qui suivront, je voudrais vous présenter ce livre comme un outil complémentaire à la volonté de chaque individu de réagir par ses attitudes à se prévaloir du droit à une vie meilleure.

Introduction

Plusieurs grandes questions, demandant chacune réflexion, s'imposent à nous en ce début de millénaire. Quelques thèmes retiennent particulièrement notre attention: le monde du travail, l'indifférence qui se généralise dans les relations humaines, la peur de ne pas réussir ou d'être simplement étouffés par les règles imposées par la société. Dans ce périple pour la survie, cette course folle aux nombreux rebondissements, nous devons revoir sérieusement nos attitudes, nos besoins et nos priorités. Nous faisons face à une série de crises: d'identité d'abord, de changement, puis de confiance; l'avenir, demain, n'est pas acquis. Saurons-nous réagir à temps? Nous avons, pour la plupart d'entre nous, oublié ce guide précieux qu'est le passé.

La tendance étant à l'éphémère, nous ne pouvons presque plus penser à moyen ou à long terme. Il s'agit maintenant d'agir quotidiennement sur nous, par toutes les fibres de notre personnalité. Nous ne devons plus rien tenir pour acquis, ni conjointe ni conjoint, ni travail ni collègues, ni amis ni voisins, ni même la vie.

Une réflexion s'impose sur notre façon de participer activement à l'actualisation de nos engagements personnels, affectifs, sociaux, culturels et professionnels.

L'angoisse a un nom: *la réussite*. Le mal a une origine: *l'indifférence*. «Le thème dominant est: le faux.» (Umberto Eco) Ce ne sont plus les valeurs qui soutiennent l'Homme, mais l'artificiel. Pour guérir, il faut briser la loi du silence. Pourtant, on nous conseille de plus en plus, et ce, dans toutes les sphères de notre vie, de nous taire. Ce silence imposé semble la principale source du malaise des individus, déçus dans leur besoin de stabilité, frustrés dans leur quête d'identité et leur recherche de points de repère. Tout doit être ordonné, corrigé et respecté. Plus que jamais, nous devons unir nos forces, nous engager et continuer à apprendre, à écouter et à observer pour mieux nous libérer de nos préoccupations.

Un retour aux sources est nécessaire, des vertus oubliées (douceur, fidélité, générosité, tolérance, humour) doivent nous habiter et ainsi modifier nos attitudes. J'en suis venu à comprendre que les complices de la société de consommation que nous sommes devenus offrent un portrait d'adultes paresseux, envieux et isolés des autres. Le phénomène n'est pas nouveau, mais aujourd'hui, quiconque s'intéresse à la qualité de vie est en mesure de mieux comprendre, de faire les liens qui s'imposent et ainsi, d'être conscient des dangers que sont l'oubli et l'indifférence.

J'ai commencé ma recherche pour mieux connaître l'adulte par le biais du monde du travail. Que ce soit dans des entreprises publiques ou privées, des domaines divers tels que la santé, le secteur manufacturier, les services ou l'enseignement, ces milieux m'ont servi de tremplin dans cette recherche visant à mieux comprendre les attitudes et les comportements des adultes. Les voir évoluer, les entendre s'exprimer et, à maintes reprises, ressentir leur angoisse fut une source inépuisable d'informations. J'ai pu être à même de mieux saisir leurs préoccupations quant à la place qu'occupent les changements, les émotions, les relations humaines, le besoin de contact et le désir de vérité en chacun d'eux.

—

Qu'est-ce que la vérité? Voilà une question difficile. Mais je lui ai trouvé une réponse qui me satisfait: elle est ce que nous dit notre voix intérieure.
MAHATMA GANDHI
Tous les hommes sont frères

—

À titre de conférencier, de formateur et de consultant en psychologie du travail, en relations humaines et en santé holistique en milieu de travail, je suis d'avis que plusieurs facteurs conduisent les hommes et les femmes à se couper d'eux-mêmes, des autres, de leur corps, de leur relation avec leurs sens, et ce faisant, à s'isoler.

Pour bien aborder les multiples facteurs de la qualité de vie, il s'agit d'observer et d'écouter l'homme et la femme d'aujourd'hui, confrontés au monde du travail, mais aussi se débattant dans un univers personnel, familial et social de plus en plus complexe.

Toutes ces interrelations sont autant de sources d'actualisation que l'homme et la femme doivent mieux appréhender, parce qu'il n'y a pas qu'une seule vérité, qu'une seule réponse, qu'une seule façon d'agir et de penser, comme il n'y a pas qu'un seul rôle qu'on puisse jouer. En somme, chacun de nous tient des rôles différents à divers moments de sa vie et en diverses circonstances.

—

Croire que sa vision de la réalité est la seule réalité qui soit est la plus dangereuse des illusions.
PAUL WATZLAWICK
Psychothérapeute et chercheur

—

Dans ce livre, je vous invite à revoir vos priorités, plus encore, à initier de nouvelles expériences de vie dans une réflexion qui cherche, avant tout, à traduire le «Je» en «Nous». Rappelez-vous ces mots du psychiatre Sir Henry Harcourt-Reilly: «La souffrance de ce monde vient des gens absorbés à l'infini dans la quête de penser du bien d'eux-mêmes.»

Nous avons passé plus de mille ans à inventer des «guerres» (idéologiques, physiques, psychologiques,

sociales, morales, économiques) avec, pour conséquences, un accroissement de l'individualisme, de l'égocentrisme et des passions axé sur des notions de compétitivité, de structure, de contrôle, de pouvoir. Nous
avons polarisé un monde que nous pourrions qualifier de
masculin. Le troisième millénaire est à nos portes;
soyons ouverts à ce qu'il cherche à devenir: collectivité,
famille, esprit d'équipe, partenariat, sensibilité, souci
d'autrui. En deux mots: parle-moi, écoute-moi! C'est
une invitation à traduire la réalité au féminin!

Ce livre constitue une approche qui interpelle la
personne tout entière, intégrant les diverses composantes du corps humain et qui propose de laisser surgir
le paysage poétique qui se cache à l'intérieur de chacun
de nous. *Où est l'artiste en vous? Pourquoi se cache-t-il?*
N'est-il pas préférable d'être maladroit et mal à l'aise que
de ne pas essayer de l'atteindre! L'essentiel n'est-il pas de
sortir d'une zone de confort trop douillette? Peut-être y
trouverez-vous la réponse à bien des malaises! Comme le
disait si bien le metteur en scène Robert Lepage dans
Quelques zones de liberté (1995): «Le seul lieu où l'espace
peut être infini devient donc l'intérieur de soi.» Osons
aller vers l'intérieur de nous. Les imprévus de la vie se
chargeront de trouver les formes nécessaires.

—

Ne laissons pas les choses se figer.
PAULO COELHO
La Cinquième Montagne

—

À force de nous priver de relations, d'intimité, de partage, ou encore à force de ne pas accepter de vivre pleinement les expériences qui surgissent dans nos vies, nous nous contraignons à l'isolement. En niant nos besoins, nos désirs, nos attentes, nous apprenons à nous nier nous-mêmes dans notre corps aussi bien que dans nos relations. En plus de ces nouvelles privations, je crois que les nouvelles technologies, l'autoroute de l'information, les communications par modem, bref, l'ère du *high-tech* (l'univers technologique) a désormais une telle emprise sur nous qu'il est plus difficile que jamais de communiquer de manière spontanée et totale.

L'être humain est avant tout un être de relations, qui évolue au fil des contacts humains qu'il crée. On peut avancer que tout ce qui l'empêche d'aller vers les autres (les peurs ou subterfuges pour éviter les échanges, les émotions) paralyse son développement tant psychologique que physique. Il peut s'ensuivre l'isolement, une situation qui n'est certainement pas le but recherché.

Il serait sage de ne pas confondre isolement avec solitude. L'isolement présenté dans ce livre est un état d'absence vis-à-vis de notre corps et de nos émotions. Il se produit quand nous nous laissons guider par les autres, engourdis par des fuites et asphyxiés par une société qui neutralise nos sentiments, notre façon de nous exprimer, tout en poussant l'insolence jusqu'à ne pas nous demander notre opinion. Toutefois, ce qu'on nomme solitude, détachement, lâcher prise, silence, est une façon complémentaire d'apprendre à se connaître, à se comprendre et à trouver un sens à sa vie.

—

La solitude, c'est un mot qui fait peur à bien des gens, mais c'est aussi quelquefois une amie qui nous aide à rentrer en nous-mêmes, qui nous oblige à rêver et par-delà le rêve, à agir.
ADRIEN THÉRIO
Les Fous d'amour

—

Sans relations humaines réelles, sans libre expression de nos émotions, sans liens sociaux durables, nous sommes confrontés à une crise qui risque de déstabiliser notre confiance. De plus en plus de gens sont renfermés sur eux-mêmes, incapables de faire confiance à autrui parce que incapables de se faire confiance à eux-mêmes. «Non seulement la relation aux autres, mais aussi la relation à soi-même deviendra une relation consommée», écrit Jean Baudrillard.

Dans ce livre, il ne s'agit pas de trouver des coupables, ou encore de croire que ce qui nous arrive est inévitable. Non! Cela ne ferait que perpétuer l'utilisation des erreurs passées pour rejeter la faute sur des individus, des circonstances, une collectivité ou une société qui n'est pas ce que nous sommes vraiment et à laquelle nous ne nous sentons pas liés.

L'avenue que nous privilégions s'interroge sur l'adulte d'aujourd'hui, celui qui regarde vers demain: *ceci sous-entend que tout ce qui nous menace doit nous inciter à entreprendre d'urgence une réflexion en profondeur quant aux choix à faire.* Peut-être pourrions-nous apprendre, ou réapprendre, à cultiver nos craintes, nos peurs et nos incertitudes. «Que de choses dont je n'ai pas besoin», disait Socrate. *Et c'est un fait. Nos vies, nos pensées, nos désirs sont confus. Nous avons perdu la notion de l'essentiel.*

Dans ce livre, nous verrons que la route de chacun est pavée de difficultés, de douleurs et de renoncements. Le réflexe premier est souvent de chercher des coupables pour ce que nous sommes, pour ce qui nous arrive. Est-ce la faute de mes parents? De mes amis? Est-ce dû à mon enfance? Est-ce la société dans laquelle j'ai choisi de vivre ou dans laquelle je dois vivre? Les paradoxes nous poursuivent sans cesse; à la fois, nous disons: «Occupez-vous de moi» et, dans le même souffle, «Fichez-moi la paix». On trouve partout des témoignages de l'inspiration et du génie humains, mais partout aussi des témoignages d'ignorance et d'indifférence. Nous jouissons de perspectives d'avenir sans précédent tout en faisant face à des manipulations sans précédent. «Chacun de nous héberge et entretient en lui-même toute une ménagerie de petites insignifiances. Si bien que le cerveau s'en trouve parfois encombré.» (Maurice Henrie, *La Savoyane*, 1996)

COMMENT VIVRE?

Privilégions les relations saines. Accordons plus d'attention à ceux qui nous entourent. N'hésitons pas à emprunter les ruelles inconnues de notre âme. Tentons de redécouvrir, dans notre propre théâtre de l'imaginaire, la joie d'un simple sourire ou d'un plaisir, le bonheur de pardonner ou de faire don de soi à quelqu'un ou à une noble cause.

—

Ne nous souhaitons pas seulement la Bonne Année mais surtout la Bonne Humeur.
ALAIN
Propos sur le bonheur

—

Nous sommes tous un peu égarés par moments, dans nos propres silences, mensonges, croyances et abus de toutes sortes. Au fond, parfois, on ne sait plus; on ne veut plus; on n'y croit plus; on ne pense plus. Soudain, surviennent un événement, une vision, une pulsion plus forte qui nous obligent à faire un tri, à retravailler les fondations de notre petit monde intérieur. «On ronronne autour de l'idée de liberté alors que rien n'est fait pour libérer l'homme de la prison de son petit moi et le relier à des forces qui le dépassent», disait Olivier Germain-Thomas (*Bouddha, terre ouverte*, 1993).

Plus loin, il sera question de sensibilité, de veiller à intégrer chacun des corps qui nous façonne dans un processus continu d'actualisation. Faisons confiance à nos sens, traduisons-les dans toutes leurs expressions, leurs acclamations, leurs délires et leurs révoltes.

La route d'un individu est souvent pavée de solitude. Dans tout silence de la vie, existe cependant toujours une pause. Comme dans une danse, c'est en marquant une pause, même brève, que nous pouvons reprendre un second souffle et repartir à nouveau. Dans la danse, chaque mouvement exprime une émotion, chaque pas s'inscrit selon un rythme, chaque inspiration insuffle une dose d'énergie. La danse devient une pulsion de vie pour celui qui s'abandonne, qui se laisse aller, qui place l'émotion à fleur de peau. Lorsque nos yeux se ferment, prennent forme nos propres sons, nos propres gestes et nos propres attitudes corporelles. Toute expression de soi par le corps fait jaillir les émotions les plus enfouies et nous relie à notre intimité, à notre sensibilité et, par voie de conséquence, à notre imaginaire et à notre créativité.

—

Ne méprisez la sensibilité de personne. La sensibilité de chacun, c'est son génie.
CHARLES BAUDELAIRE
Journaux intimes, XVIII

—

Lorsqu'on comprend la solitude comme un mouvement temporaire, elle devient une danse où nous nous recueillons d'abord, pour mieux nous ouvrir à la présence d'autrui par la suite. «On a le droit de se perdre temporairement dans une peinture.» (Judith Viorst, *Les renoncements nécessaires*, 1988); j'ajouterai, dans une danse, dans un mouvement intérieur, sans oublier que *la réponse s'inscrit dans les combats de la vie.* Et tout combat implique une relation entre deux forces.

Ce livre n'est pas conçu comme un guide à suivre étape par étape. Les thèmes abordés concernent l'homme et la femme dans leur globalité; ils sont tous importants, mais ne vous toucheront pas tous de la même manière, au même moment. Une première lecture vous conduira peut-être vers de nouvelles réflexions. Une seconde lecture, à un autre moment de votre vie, vous permettra sans doute de mettre en lumière des éléments sur lesquels vous aviez passé un peu vite parce que le contexte ne s'y prêtait pas ou peut-être n'étiez-vous pas prêt, tout simplement. C'est François Mauriac qui a dit: «Dis-moi ce que tu lis, je te dirai qui tu es, il est vrai, mais je te connaîtrai mieux si tu me dis ce que tu relis.»

Ce livre ne pourra se lire en continu. Par moments, des mots, des phrases et des paragraphes seront introduits de manière impromptue; c'est tout à fait volontaire. Nombreux sont celles et ceux qui sont fatigués, voire bouleversés, d'envisager les choses, la vie, les discours, les moments d'intimité, les écrits, avec rationalité, structure, ordre, procédures et règles. Ce livre s'adresse à vous en particulier. Le voyage qui vous attend est une invitation à laisser bercer vos émotions et à réintroduire quelques sentiments de nouveauté dans votre façon d'être et de faire.

—

Dès qu'un sentiment s'exagère, la faculté de raisonner disparaît.
GEORGES LE BON
Hier et demain

—

J'invite les lectrices et les lecteurs à puiser les phrases ou les chapitres qui éveillent en eux de nouveaux élans et qui, peut-être, leur offriront de nouvelles occasions de réagir. Je souhaite que vous ayez le désir, la volonté d'aller un peu plus loin et surtout de continuer de vous étonner.

Avant d'entreprendre le premier chapitre, je laisse à Alexandre Jardin le soin de vous dire à sa manière… *comment vivre!*

Imaginez que votre capacité d'émerveillement est intacte, qu'un appétit tout neuf, virulent, éveille en vous mille désirs engourdis et autant d'espérances inassouvies. Imaginez que vous allez devenir assez sage pour être enfin imprudent[1].

---

1. JARDIN, Alexandre, *Le Zubial*, Paris, Éditions Gallimard, 1997, p. 116.

CHAPITRE PREMIER

Le monde adulte

Le refus de voir nos faiblesses.
Voilà la raison pourquoi il est si difficile aux adultes
d'apprendre quelque chose.

THOMAS MOORE
Le soin de l'âme (1994)

On accède au monde adulte avec les bagages plus ou moins lourds de l'enfance, et c'est fort de tout cela qu'on aborde ses premières années d'homme et de femme. Notre héritage est le reflet de ce que nos parents, frères, sœurs, amis, éducateurs scolaires et bien d'autres ont partagé avec nous. Dès la naissance, certains éléments sont déjà en place pour créer les fondements de la personnalité: les expériences physiologiques, psychologiques et sociales s'entremêlent et sont intégrées une à une pour créer, au rythme du temps, un être unique. Les schémas de comportement se sont formés, des habitudes se sont ancrées pour devenir des automatismes. Ainsi, le contexte culturel, social et familial dans lequel l'enfant se développe façonne son caractère.

Dès le plus jeune âge, la confiance en soi se développe. L'enfant apprend à établir des relations, parfois chaleureuses et satisfaisantes, mais aussi parfois tronquées et déroutantes, avec ses parents, ses frères et ses sœurs et, finalement, avec le monde extérieur.

Les comportements que l'enfant construit sont conçus tantôt pour l'aider à maintenir des relations qui le soutiennent, tantôt pour le protéger de relations difficiles. À cette époque de sa vie, se manifestent aussi des comportements compulsifs adoptés en bas âge pour se protéger de la souffrance de voir ses désirs non comblés. Par ces expériences, se construit un schéma de comportements et d'attitudes qui influencent directement l'enfant dans son apprentissage de l'amour et de la haine, de la confiance et de la méfiance, du plaisir et de la souffrance, de l'initiative et de la culpabilité, de la sécurité et de la peur. Tout enfant connaît des relations positives tout autant que négatives, mais c'est la constance dans le type de relations qui se révèle déterminante. De même, «c'est la manière dont le geste est fait, plus que l'acte lui-même, qui l'affectera pour la vie[1]». Un enfant qui vit trop de frustrations se réalisera sur un mode défensif.

Voici l'histoire:

Un jeune garçon de douze ans me raconta un jour les difficultés qu'il éprouvait pour exprimer ses opinions à la maison. Je fus frappé par son regard discret, ses petits poings fermés, ses yeux tristes, son allure timide, les pleurs dans sa voix... la transparence d'émotions. Il désirait tellement pouvoir raconter ses histoires personnelles à ses parents. Mais son père était trop occupé dans son univers du travail; sa mère, inquiète de ses besoins inassouvis. L'enfant n'arrivait pas à les rejoindre. Même l'abondance de ses silences n'a pu apporter aux parents ce réflexe d'agir, de déposer leur individualité pour

---

1. ROSENBERG, Lee Jack, *Le corps, le soi, et l'âme*, Montréal, Éditions Québec Amérique, 1989, p. 25.

52

créer un peu plus d'espace pour lui, avec lui. Tout se faisait sans lui.

Aujourd'hui, cet enfant vit dans son monde: il fabrique ses jouets de scène; il crée ses personnages; il intériorise ses plaisirs; il attend! Il m'a dit: «Je m'endors la nuit dans l'espoir de rêver à des parents fantômes qui s'amusent avec moi, qui me prennent dans leurs bras et qui me disent: "Parle-moi".» Souvenez-vous de ceci: «Si vous voulez que vos enfants apprennent de vous, vous devez apprendre d'eux en premier.»

—

Tous les enfants sont des artistes; le problème, c'est de le rester une fois adulte.
PABLO PICASSO
Artiste peintre

—

L'enfant a besoin d'explorer, de déranger dans l'immensité des objets, des images, des couleurs, des espaces qui lui sont proposés ou qu'il s'approprie, de se séparer des choses et des êtres pour s'y découvrir. «Un enfant qui n'a pas su jouer sera un adulte qui ne sait pas penser.» (Jean Château) On peut ajouter aussi: «Ce que l'enfant apprend de plus important par le jeu, c'est peut-être que, lorsqu'il perd, le monde ne cesse pas d'exister[2].»

2. BETTELHEIM, Bruno, *Pour être des parents acceptables*, Paris, Éditions Robert Laffont, 1988, p. 185.

L'adolescent, quant à lui, maintient la contradiction, la différence, l'innocence et la confusion des rôles à travers une multitude d'interactions avec son environnement immédiat, ses modèles, son théâtre de rêve et son désir d'aventure. «L'adolescence n'est pas une période où l'on se sent extrêmement coupable de ses actes, explique Michel Dubec, psychanalyste et psychiatre auprès des tribunaux. C'est une phase de revendications, de frustrations, durant laquelle on a la sensation d'avoir raison de casser, de voler, de se révolter contre le monde rationnel des adultes.» L'art de faire grandir les adolescents, c'est de les inviter à prendre du recul dans tout ce qu'ils entreprennent et à éveiller leur curiosité afin qu'ils s'intéressent à plusieurs choses et non à une seule. L'une des questions qui revient à l'adolescence est sans contredit: À qui, à quoi ressembler? Question que se pose aussi l'adulte le matin lorsqu'il lui faut remodeler un peu son apparence avant de sortir. Comme dirait le philosophe Alain: «Surtout avec les jeunes... faites-leur un beau portrait d'eux-mêmes; ils se croiront ainsi; au lieu que la critique ne sert jamais à rien[3].»

---

3. ALAIN, *Propos sur le bonheur*, Paris, Éditions Gallimard, 1928, p. 192-193.

—

Toi, tu es agité, il semble presque impossible de capter ton attention. Mais, en réalité, tu es attentif à tout, tu recherches seulement un lieu qui ne soit pas embrumé par le mensonge.
FRANCO FERRUCCI
Lettre à un adolescent sur le bonheur

—

L'enfance et l'adolescence sont des périodes où nous devons vivre selon les valeurs, les coutumes, les langages, les modes de transmission du savoir de ceux qui nous ont précédés. Cet héritage est rempli de privations, d'attentes. Prisonnier de notre passé, nous ne pouvons répondre à l'invitation d'adopter un régime établi d'avance, d'obéir à l'injonction: «Sois raisonnable!» Dans cet ordre d'idées, Gérard Artaud affirme: «L'Homme de notre société vit beaucoup plus en dépendance de son milieu qu'en référence à lui-même[4].» Il est nécessaire de comprendre qu'il ne faut pas renier ce passé parce que, selon Éric Toubiana: «L'acceptation et l'intégration du passé rendent seules prudents et permettent ainsi d'affronter le futur et d'agir de manière durable et féconde[5].»

---

4. ARTAUD, Gérard, *L'adulte en quête de son identité*, Ottawa, Éditions P.U.O., 1985.
5. TOUBIANA, Éric, *L'héritage et sa psychopathologie*, Paris, Éditions P.U.F., 1988.

—

On peut considérer qu'une grande partie des perturbations chez les enfants et les adolescents sont une conséquence de l'incertitude des adultes face aux valeurs.
ABRAHAM H. MASLOW
Vers une psychologie de l'être

—

L'enfance et l'adolescence constituent des moments de vie où divers modèles nous apparaissent comme autant de définitions de soi. Cette grande étape de la vie est faite d'innocence qui, à force d'être invitée à imiter les autres, disparaît pour être parfois remplacée par l'imitation ou l'ignorance. «L'ignorance étant le plus sûr garant de l'obéissance.» (Arkadi Chenchetvko) Jusqu'à quel point ne devons-nous pas, à certains moments de la vie, éviter les enjeux qui nous sont proposés? Par moments, pour faire le vide, acceptons de nous absenter, d'oublier quelques instants nos préoccupations journalières pour refaire le plein d'énergie. Nous allouer quelques minutes de silence et de recul est nécessaire pour nous ressourcer.

L'adulte abuse de son redoutable pouvoir sur l'enfant qu'il a été, contraignant ce dernier à perdre de vue son moi véritable. Pourquoi? Serait-ce pour se conformer aux règles, aux apparences, afin d'éviter l'inconfort et le risque d'une situation marginale? Préférant divorcer de lui-même, ainsi s'organise son monde, soit celui de l'ordre hiérarchique, de la rationalité, de la méfiance, de la culture imposée. Il fait taire ses désirs et se plonge dans un véritable état d'aliénation. Cette coupure entre l'expérience de l'enfance et les références, une fois adulte, à des normes extérieures, a déclenché des conflits qui ne cesseront probablement jamais d'occuper l'espace psychologique de l'adulte:

> Nous devons écouter l'enfant que nous avons été un jour, et qui continue d'exister en nous. Si nous ne naissons pas à nouveau, si nous ne parvenons pas à regarder la vie avec l'innocence et l'enthousiasme de l'enfance, alors la vie n'a plus de sens[6].

—

Vivez votre journée sans la comprendre.
GUY FINLEY
Lâcher prise

—

La présence et l'absence nous invitent à un renouvellement perpétuel de nos ressources intérieures, facilitant notre adaptation à des changements, et augmentent constamment notre sensibilité, notre capacité à ressentir, à nous laisser toucher. Cette alternance entre présence et absence, entre contact et retrait, entre

---

6. COELHO, Paulo, *Sur le bord de la rivière Piedra, je me suis assise et j'ai pleuré*, Paris, Éditions Anne Carrière, 1995, p. 52.

intimité et solitude, entre identité et confusion, entre confiance et méfiance, vise à nous faire comprendre que l'être humain devra osciller toute sa vie entre les deux pôles. Des événements, des situations, des besoins, des attentes feront de l'adulte un être en perpétuelle transformation. Alors, laissons les moments sombres et les moments de joie se côtoyer; les uns viennent, les autres partent; ensemble, ils nous invitent à la magie des mystères de la vie. N'oubliez pas, les deux pôles sont nécessaires à la réalisation de nos rêves.

Les surprises, les mystères, les imprévus sont-ils des dangers ou des folies trop menaçantes? La psychologie est une discipline qui doit rester souple. Sinon, elle aura tendance à devenir statique ou, si vous préférez, elle n'aimera pas déroger à ses habitudes, à ses structures établies. Comment pourrait-elle alors rendre compte du mouvement, de l'évolution, de la croissance? Nous sommes tentés de décrire les états de réalisation de soi comme s'ils étaient des états achevés: vous êtes ceci, vous êtes cela. Il est facile de se reposer dans la satisfaction de la perfection. Mais il est aussi possible de se reposer à la suite d'une crise survenue à un moment ou l'autre de l'existence. Les moments de croissance, tout comme les moments de crise, expriment une tendance. Nous pouvons considérer ces phénomènes comme une série de libres décisions, obligeant chaque être à choisir, à divers moments de son existence, entre la sécurité et le risque, la dépendance et l'indépendance, la régression et la progression, le connu et l'inconnu, dans une suite de provocations qui peuvent le conduire vers de nouvelles définitions de lui.

Le passé détermine en grande partie le présent. Si on retrouve aujourd'hui autant d'hommes et de femmes en difficulté devant la tâche de préserver leur qualité de vie, il est évident que plusieurs générations ont préparé ce manque total de ressources. Combien ont oublié: «Il y a des jeunes qui savent si peu de choses sur le passé qu'ils ne voient rien d'anormal dans le présent[7].»

—

Ceux qui ne se souviennent pas du passé sont condamnés à le répéter.
GEORGES SANTAYANA
Le Dernier Puritain

—

Les symboles du pouvoir et du contrôle sont très présents dans notre quotidien, les mêmes discours se répètent, seules les cibles changent selon les convenances, les intérêts et les besoins.

Comprendre notre histoire peut donner le recul nécessaire, une direction, un sens à ce que nous faisons, sans doute davantage de sagesse[8].

7. TOFFLER, Alvin, *Le choc du futur*, Paris, Éditions Denoël, 1970, p. 30.
8. REEVES, ROSNAY, COPPENS, SIMONNET, *La plus belle histoire du monde*, Paris, Éditions du Seuil, 1996, p. 156.

Il existe une différence profonde entre les générations d'autrefois et celles d'aujourd'hui. Celles d'autrefois devaient composer avec les nécessités de la survie, devaient répondre à des besoins de base (physiologiques, de sécurité). Cette obligation leur faisait axer leurs valeurs sur la famille et sur l'immédiat. Libérés aujourd'hui de cet enjeu du quotidien, nous n'en continuons pas moins à chercher des réponses à ces mêmes besoins, mais avec plus de futilité parce qu'ils nous semblent moins préoccupants. L'obsession contemporaine, celle de la possession matérielle, sert désormais surtout à offrir une façade ou à faire mousser les apparences.

Dans *Le monde de Sophie* (1995), Jostein Gaarder cherche à donner des pistes utiles dans la quête de notre identité et de la raison de notre existence.

—

Nous avançons lorsque les plaisirs de la croissance et les angoisses de la sécurité sont plus grands que les anxiétés de la croissance et les plaisirs de la sécurité.
ABRAHAM H. MASLOW
Vers une psychologie de l'être

—

Incapables de reconnaître que notre attitude devant toute nouvelle difficulté est régie par la fuite devant la réalité, ou par une adhésion à une idéologie quelconque (… ce qui nous rend bien souvent passifs et à la merci des autres), nous nous laissons envahir par nos obsessions.

Aujourd'hui, nous, les adultes, nous planifions et programmons notre vie (pensées, gestes, carrière, relations humaines, loisirs) souvent en fonction de gains et de bénéfices éventuels ou pour ne pas déroger aux structures établies, à la hiérarchie; il s'agit d'une façon de vivre plutôt artificielle. Nous cherchons à nous octroyer des espaces que nous n'occupons même pas, des savoirs dont nous effleurons à peine le contenu et que nous négligeons bien avant de les mettre en pratique. Nous réquisitionnons le pouvoir dans la mesure où il nous guide vers le sommet de la hiérarchie. Nous amassons des richesses pour mieux renflouer notre petit monde matériel. Nous en sommes à mendier un sourire, un peu d'écoute, une salutation, un simple regard,…

Voici l'histoire:

Un jour de juillet 1996, j'étais assis seul à une terrasse en plein centre-ville. Je buvais un verre lorsque soudain, juste en face de moi, un événement inusité se produisit. Une dame d'un peu plus de soixante ans traversait la rue d'un pas très lent et décontracté; elle saluait les automobilistes de la main tout en souriant. Une fois de l'autre côté de la rue, elle se retourna et recommença son petit manège, et ce, à plusieurs reprises. Je décidai donc de comprendre, d'observer les moindres gestes et de demeurer attentif aux petits détails.

Sa lenteur me fascinait. Son courage d'agir face au danger me rongeait l'esprit. Son corps mince, fragile et son sourire permanent faisaient contraste avec le public nombreux qui déambulait tout autour d'elle, enivré de vitesse et avec des regards indifférents. Ne pouvant résister, je me dirigeai vers elle. Je marchais lentement, je copiais ses gestes, ses regards et, à ce moment-là, elle m'a regardé et je lui ai demandé: «Que vivez-vous?.» Elle me répondit: «J'ai huit enfants qui demeurent tout près de chez moi, mais rares sont les visites. Alors, je viens ici régulièrement pour recevoir *un peu d'attention.*» Et elle ajouta: «Le plus beau moment, c'est quand, dans quelques minutes, un policier viendra me prendre le bras doucement comme un prince charmant et traversera la rue avec moi.» Avant de me quitter, elle ajouta: «Demain, je serai un peu plus loin sur le même boulevard, alors venez me dire bonjour… venez déposer votre main sur moi.»

Aujourd'hui, les sentiments humains ont pris la place qui leur revient, les connaissances dans le domaine sont largement répandues, mais les réponses aux questions de base ne sont pas toujours celles que l'on désire entendre. Comme nos prédécesseurs, nous nous réfugions trop souvent dans les petites choses du quotidien. Il est difficile de faire face aux vrais enjeux, mais en ne faisant pas cet effort de les envisager, nous risquons peut-être de nous isoler davantage.

La lucidité ne saurait être le fruit d'une habitude.
ZÉNO BIANU
Krishnamurti ou l'insoumission de l'esprit

En cette année 2000, nous sommes invités à franchir d'autres étapes pour mieux actualiser nos potentialités. Par moments, il est question de mieux communiquer, d'exprimer nos sentiments. Nous aurons aussi à explorer les faces cachées de notre personnalité, à traduire nos émotions, à choisir de vivre et non de subir, de comprendre la douleur et la souffrance comme des complices de notre cheminement personnel et collectif.

La vie est une grande aventure d'exploration faite de secousses, de périodes sombres et de bonheurs, d'incertitudes et d'inquiétudes, de renoncements et d'investissements. À travers ces explorations et ces échanges, nous parviendrons à comprendre nos choix, nos recommencements, nos évasions, nos erreurs, nos deuils et nos folies. Reconnaître que nous consentons à perdre et à gagner est déjà signe que nous progressons.

LE CHANGEMENT: UNE «CRISE D'IDENTITÉ»

Acquérir notre propre identité, ce n'est pas seulement savoir ce que nous sommes et ce que nous allons faire dans le monde, car toute notre existence est soumise à des changements. En fait, le problème est plus complexe: il faut trouver à l'être humain une dimension plus large et plus complète, ce qui n'est possible qu'après de longues années d'expérience et de crise. Comme le souligne Havighurst, la nature de la crise d'identité de l'adulte se décrit par des «changements basés sur des événements sociaux plutôt que sur une réorganisation de la personnalité[9]».

Les psychologues ont chacun un terme pour désigner cette appréhension de l'identité. Ainsi, Carl Gustav Jung parle d'*individualisation* (1933, *The Stages of life*); Abraham Maslow (1972, *Vers une psychologie de l'être*), d'*auto-actualisation*; Gail Sheehy (1976, *Passages: Predictable Crises of Adult Life*), de *gain de notre authenticité*; Erik H. Erikson (1963, *Les huit étapes de l'homme*), d'*équilibre entre deux pôles*; Daniel J. Levinson (1986, *A conception or Adult Development*) parle de *saisons avec leurs phases de transition et de stabilité où apparaissent diverses épreuves à surmonter, divers conflits à résoudre, divers défis à relever*; Roger L. Gould (1978, *Transformations: Growth and Change in Adult Life*) parle de *transformation continue de la conscience d'enfant en conscience d'adulte*; d'autres mentionnent l'*intégrité* ou l'*autonomie*. Je l'appellerai dans ce livre *l'adulte en quête d'adaptation*, parce que l'achèvement de l'identité présuppose un travail d'intégration.

«Chaque période de la vie est marquée par une crise. Une crise n'implique pas une catastrophe, mais

---

9. HAVIGHURST, R. I., *Developmental Tasks and Education*, New York, Mckay, 1972.

un tournant, une période cruciale au cours de laquelle l'individu est à la fois plus sensible et mieux à même de développer sa sensibilité[10].» Cependant, comme le mentionne Erik Erikson, dans son premier livre, *L'enfance et la Société*, publié en 1950, toutes les formes de développement ne constituent pas des crises; le développement psychologique procède par périodes critiques, c'est-à-dire par périodes situées à des moments de choix entre le progrès et la régression. Le progrès ou la régression dépendent de ces moments, mais une restructuration s'ensuivra de toute façon.

Le développement psychologique sous-entend non seulement la possibilité de faire face aux crises extérieures, mais aussi l'aptitude à maîtriser ses propres pulsions, à différer leur satisfaction et à ne pas être effrayé par elles. Ce développement ne survient pas seulement durant les moments de crise, mais savoir que toute crise est partie intégrante d'une démarche de développement peut aider.

Comme le souligne Gérard Artaud dans *L'adulte en quête de son identité*, la «crise d'identité de l'adulte, c'est fondamentalement cette prise de conscience de son inachèvement qui le conduit à réaliser que la part de lui-même laissée dans l'ombre commence à revendiquer ses droits et qu'une confrontation s'impose[11]». Comme

---

10. SHEEHY, Gail, *Les passages de la vie*, Boucherville, Éditions de Mortagne, 1982, p. 20.
11. ARTAUD, Gérard, *L'adulte en quête de son identité*, Ottawa, Éditions P.U.O., 1985, p. 43.

le jour suit la nuit, ce qu'on laisse dans l'ombre cherche à revenir à la lumière; c'est un processus naturel pour permettre à l'inconscient de s'exprimer. Les plus petites opportunités sont utilisées pour faire remonter dans le conscient les besoins de l'inconscient. L'ombre se manifeste de diverses manières: nous pouvons parler de messages qui nous sont envoyés dans nos rêves ou encore de pulsions que nous comprenons mal ou de désirs que nous n'arrivons pas à satisfaire. La confrontation survient sur plusieurs plans; non seulement convient-il alors de revoir les moyens (réseau social, écoute active, désir d'apprendre) que nous mettons à notre disposition pour mieux habiter les événements de la vie, mais aussi de nous tenir prêts à accepter la difficulté, la solitude et la souffrance qu'implique le mot grandir, plus précisément sur le plan de l'évolution spirituelle.

—

L'ombre, c'est tout ce que nous avons refoulé dans l'inconscient par crainte d'être rejeté par les personnes qui ont joué un rôle déterminant dans notre éducation.
JEAN MONBOURQUETTE
Apprivoiser son ombre

—

Dans notre choix de ces mesures pour mieux percevoir les événements, le professeur Artaud nous invite à une réflexion sur l'impact de la culture et sur les valeurs actuelles de l'adulte. Il souligne d'abord que l'héritage des valeurs de notre enfance et de notre adolescence, accepté sans filtrage dans l'expérience intérieure, aboutit à une identité empruntée.

Cette acculturation cause inconsciemment des tensions qui risquent de compromettre la recherche de notre propre identité. L'adulte doit refuser une identité empruntée et, pour y parvenir, considérer que le processus de croissance n'est jamais achevé. Tout se passe comme si nous devions vivre une série d'expériences de vie à travers nos sens et nos émotions, pour mieux développer des moyens d'action efficaces afin de faire face quotidiennement à toutes formes de situations. Pour que ces expériences puissent nous transformer de l'intérieur et nous ouvrir aux autres, elles doivent s'exprimer par des mots, par des gestes, par des regards, par des odeurs, par des sons, par des pleurs, par des rires et, en d'autres occasions, par des silences.

Bernice Neugarten, de l'Université de Chicago, insiste sur le fait que la complexité de la personne augmente avec le temps. La crise de l'identité de l'adulte évolue grâce au cumul d'expériences et, surtout, aux sens que chacun leur confère. La personnalité n'est jamais achevée, elle est constamment en voie de réalisation, lorsque l'individu tend à accepter et à assumer courageusement les insuffisances de la nature humaine au lieu de chercher à les nier. C'est ainsi «qu'affairé à construire une histoire cohérente à partir de son histoire de vie, l'adulte réinterprète son passé: un événement inexplicable au moment où il survient prend de nouvelles dimensions vingt ans plus tard[12]».

—

L'Homme ne peut apprendre qu'à condition d'aller du connu vers l'inconnu.
CLAUDE BERNARD
Philosophe, manuscrit inédit

—

Savoir s'arrêter pour examiner les vrais problèmes peut se révéler un atout. La psychanalyste Karen Horney a une bonne façon de désigner ce processus de résolutions inconscientes. Elle parle d'enregistrement. Si nous faisons quelque chose dont nous avons honte, cela se classe dans la colonne des débits. Si nous faisons quelque chose d'honnête, de beau, de bon, voilà qui est porté à notre crédit. Selon que l'une des sommes est plus forte que l'autre, nous sommes orientés vers le respect et l'acceptation de nous-mêmes ou bien vers le mépris, la dévalorisation ou le sentiment de l'impossibilité d'être aimés. Il en est de même de nos choix de vie, s'ils sont orientés vers un manque ou un déficit à combler, ou encore, une compensation à obtenir, le tout sera classé dans la colonne du passif, en satisfactions passagères et en possibilités de dépendance. Par contre, si nos choix

---

12. NEUGARTEN, B. L., *Adult personality: A Developmental View*, Human Development, 1996.

de vie sont orientés vers des besoins de croissance et permettent, en priorité, de déborder sur les autres, le tout sera enregistré à la colonne de l'actif, en satisfactions plus grandes et en une sensation de mieux-être. Selon que l'une des sommes est plus forte que l'autre, nous sommes orientés vers des conflits avec nous-mêmes et les autres, vers la confusion, l'anxiété ou, dans le cas contraire, vers la spontanéité, la créativité et l'invitation à laisser l'inconscient se manifester.

Quoi qu'il en soit, le développement ne doit pas se définir sous l'angle d'événements clés, mais par des changements qui s'amorcent en nous. Tout changement vient avec son lot de douleurs et de souffrances. «Si la souffrance et la peine sont quelquefois nécessaires à la croissance de la personnalité, nous devons savoir ne pas toujours en protéger les gens, comme si cela était nécessairement mauvais. Il peut arriver que cela soit bon et souhaitable, compte tenu des conséquences positives qui peuvent en résulter[13].»

—

**Il faut avoir le désir et la capacité de souffrir
une continuelle remise en question.**
SCOTT PECK
Le chemin le moins fréquenté

—

---

13. MASLOW, Abraham H., *Vers une psychologie de l'être*, Paris, Éditions Fayard, 1972, p. 9-10.

De tels changements permettront à une femme de s'affirmer, à un homme de donner libre cours à ses émotions ou encore, aux uns comme aux autres, de délaisser un comportement abusif, de se départir d'un rôle social trop étroit. Quand le changement a lieu, nous sommes enfin prêts à donner un sens personnel à notre vie. Le seul fait de nous lancer dans cette recherche ouvre la porte à une meilleure communication entre nous et ceux que nous aimons.

«L'adulte n'est pas un produit isolé de l'environnement, mais il est, tout comme l'enfant, dans un état de tension dynamique qui l'affecte et le modifie constamment[14].» Cette tension peut prendre différentes appellations: stress, anxiété, joie, peine, rejet, renoncement, dont la valeur réside dans cette poursuite continuelle du progrès. Comme en fait mention le Dr Hans Selye (1974) dans *Stress without distress*, à propos du stress: «Ce qui est important, ce n'est pas ce qui nous arrive, mais la manière dont on le prend.» Qu'est-ce qui, aujourd'hui, n'est pas sujet à la dramatisation et au stress? Vieillir, grossir, dormir, éduquer les enfants, partir en vacances, simplement dire bonjour, simplement sourire, tout fait problème; les activités les plus élémentaires semblent impossibles. L'indifférence est devenue un fait, une routine de même indice que les gestes quotidiens. Le mensonge devrait être coté à la bourse. Et que dire de la thèse de Sennett... «Plus les

---

14. COLARUSSO, C. A. et NEMIROFF, R. A., *Adult Development*, New York, Plenum Press, 1981.

gens sont intimes, plus leurs relations deviennent dou-
leureuses, fraticides et asociales.» Les consciences ne se
définissent plus par le déchirement réciproque; le
manque de reconnaissance, l'égoïsme, le conflit ont
fait place à l'apathie et à la désertion sociale des
valeurs. On demande à être seul, toujours plus seul et,
conséquemment, on ne se supporte plus soi-même. «Le
stress est donc inhérent à la condition humaine, mais
cela n'implique pas que nous devons toujours être des
victimes des forces négatives qui envahissent notre vie.
Nous avons la possibilité d'apprendre à nous en servir,
à les comprendre, et même y trouver un sens[15].» Si nous
prenons les décisions ou les distances qui s'imposent,
l'énergie de ces forces peut être mise à profit pour nous
aider à grandir en sagesse, en compassion et en simplicité.

—

**Même si vous êtes sur la bonne voie, vous serez
renversé par un train si vous restez assis là.**
WILL ROGERS

—

Il en va ainsi pour le *burnout*. Ce phénomène grandissant de notre société ne nous invite-t-il pas, en fait,
à vivre un processus de renoncement, de modération,

---

15. ZINN, Jon Kabat, *Où tu vas, tu es*, Paris, Éditions JC Lattès,
    1996, p. 47.

pour retrouver le loisir de nous épanouir dans les choix de vie auxquels nous avons consenti librement (personnel, professionnel, familial, social)? Le *burnout* est une référence de santé, car il nous invite à revoir nos priorités. C'est l'âme en deuil de son idéal. Il cherche simplement à nous dire que, tant dans notre façon d'agir et de penser que dans les choix de vie que nous avons faits, volontairement ou non, il y a peut-être des éléments (loisirs, travail, réseau social, partenaire) qui ne nous conviennent plus, ou encore, qui nécessitent de la modération ou un réajustement de nos attitudes et de nos besoins. L'objectif est le même pour la dépression telle qu'expliquée par Jan Bauer dans son livre *Impossible Love* (1993). Si elle est assumée, comprise, la dépression permet alors d'identifier nos sentiments; si au contraire, elle est escamotée, ce n'est que partie remise: tôt ou tard, le vase des émotions débordera.

Pourquoi, dans ce cas, ne pas cesser de camoufler ou de masquer les moments de crise ou les moments sombres, et, au contraire, les vivre comme ils se présentent? Ces expériences cherchent à nous guider ou à nous dicter de nouvelles façons d'être et de faire, elles font partie de notre cheminement propre et en nier certains aspects équivaut à reporter à plus tard leurs retombées. «Quand nous camouflons les endroits sombres, nous perdons un peu de notre âme, en parlant en leur faveur, en parlant d'eux, nous nous approchons de la communauté et de l'intimité véritables[16].»

---

16. MOORE, Thomas, *Le soin de l'âme*, Paris, Éditions Flammarion, 1994, p. 173.

Rappelez-vous ce que Arnaud Desjardins disait au sujet du mot maladie: mal à dire!

Judith Viorst, dans son livre *Les renoncements nécessaires* (1988), ajoute: «Le début de la sagesse et du changement prometteur, c'est peut-être la prise de conscience des chemins qu'ont pris nos réactions au renoncement pour donner forme à notre vie[17].» Ces passages de la vie sont, en quelque sorte, une série de renoncements qui s'entremêlent pour mieux définir nos besoins et nos attentes. Le travail et la famille deviendront des milieux néfastes pour la santé de l'individu et des autres si nous n'arrivons pas à les rendre invisibles et imprévisibles par moments et, à d'autres, sensibles et empathiques.

Si nous voulons devenir adultes, ne devons-nous pas pouvoir changer de rôle? Il n'existe pas d'adéquation entre un rôle et un individu. Le bon rôle n'existe pas une fois pour toutes. Ce qui convient à une étape de la vie peut, à une autre, être contraignant ou trop lâche. Pendant le passage d'une étape à l'autre, nous nous trouvons entre deux rôles, nous interrogeant sans doute, mais nous développant assurément.

Au fur et à mesure de la recherche des pensées qui nourrissent les chapitres de ce livre, l'idée s'est imposée à moi, avec une netteté croissante, que les périodes de crise, de rupture, de transition, de stabilité ou de changement sont souhaitables, tout autant que prévisibles.

---

17. VIORST, Judith, *Les renoncements nécessaires*, Paris, Éditions Robert Laffont, 1988, p. 12.

Elles sont synonymes de transformation. «Un Homme n'est donc vraiment adulte que s'il accepte en lui des zones de résistance et d'obscurité qu'il ne peut ni dominer ni connaître totalement[18].»

Des événements imprévisibles peuvent parfois changer le cours d'une vie: une guerre, une crise économique, la mort d'un parent, d'un enfant ou d'un conjoint... «La douleur, si elle est négligée ou masquée, continue de s'intensifier jusqu'à ce que le changement ou la folie deviennent nos seuls choix[19].»

—

**J'ai compris qu'on doit tenir à la vie,
qu'il faut la prolonger jusqu'au bout et,
voyez-vous, même dans l'atroce douleur.**
MARTIN GRAY
Au nom de tous les miens

—

Notre vulnérabilité ne se manifeste pas seulement devant la mort. Lors d'une rupture amoureuse, de la perte de son travail, du départ d'un ami, d'un conflit au travail, elle peut faire surface à tout moment. Ces circonstances nous amènent à puiser dans nos ressources intérieures, à réviser nos valeurs, nos principes, notre façon de vivre et

---

18. IDE, Pascal, *Construire sa personnalité*, Paris, Éditions Fayard, 1991, p. 23.
19. HILLMAN, James, *La beauté de Psyché*, Montréal, Éditions Le Jour, 1993, p. 191.

à interpréter les événements. À ce propos, la majorité des consultations que j'ai effectuées ou des témoignages que j'ai reçus dans divers milieux de travail parlent tous de malaises ou de conflits dans des relations interpersonnelles. Il est parfois question de conflits ouverts, mais il est encore plus souvent question d'indifférence.

Voici l'histoire:

Après plus de quinze ans dans un premier emploi, une dame dans la quarantaine me raconta sa descente aux enfers au sein d'une commission scolaire où elle travaillait comme secrétaire administrative. Elle me fit part du peu de considération de ses supérieurs et de ses collègues de travail. Elle me décrivit les attitudes de l'ensemble du personnel comme s'il n'était plus possible de rire, de s'amuser, de socialiser. Seuls les résultats professionnels étaient considérés. Les discussions n'avaient qu'un but: l'atteinte des objectifs. Elle qualifiait son environnement de travail d'aliénant et d'entreprise de camouflage. Les émotions étaient presque interdites et devenaient une faiblesse, une honte. Un sentiment de vide s'empara d'elle, à tel point qu'elle dut s'absenter régulièrement du travail pour des malaises physiques et psychologiques. Deux ans de vie dans ce milieu de travail l'obligèrent à la démission. Elle préféra le chômage temporaire à la cruauté de l'indifférence. Plusieurs semaines ont été nécessaires pour retisser en elle les circuits de la confiance et de l'estime de soi.

L'indifférence est au cœur de la pensée occidentale, elle est le malaise le plus répandu et le plus accablant d'entre tous et produit insatisfaction au travail, recherche maladroite d'attention, conflit de rôles, ennui, dépersonnalisation, absence de concertation. Chaque individu semble essayer de dominer l'autre, développant ainsi ce que James Redfield appelle dans son merveilleux livre *La Prophétie des Andes* (1994), des interrogateurs. Au même titre que les intimidateurs créent en face d'eux des plaintifs ou des victimes.

En prenant conscience de nos mécanismes de domination, nous pouvons mieux entrevoir les raisons de ce comportement et peut-être pourrons-nous, dès lors, cesser de nous approprier les énergies de ceux qui nous entourent. Après mûre réflexion, j'ai compris que l'indifférence n'entraîne que mépris et culpabilité, et que nous devenons, par le fait même, nous-mêmes victimes et coupables. Selon une étude récente, 68 % des causes d'absentéisme au travail sont le résultat de l'indifférence ressentie par un employé à l'égard d'un autre. Cette sorte de fuite en avant, sans pause pour nous permettre de nous voir tels que nous sommes, nous conduit tout droit à la confusion quant à notre propre identité.

—

**Le pire péché que l'on puisse commettre
envers ses semblables n'est pas de les haïr,
mais plutôt de se montrer indifférent;
c'est l'essence même de la cruauté.**
GEORGE BERNARD SHAW
Correspondance avec Mrs. Patrick Cambell

—

Tout compte fait, un ensemble d'épreuves nous fortifie face aux aléas à venir et nous aide à envisager avec plus d'optimisme les difficultés de demain. Ainsi va le sens des propos de Milan Kundera dans *L'Insoutenable légèreté de l'être* (1987) lorsqu'il affirme que le poids des douleurs vécues est nécessaire à nos propres réalisations, les souffrances laissant entrevoir les limites et les capacités d'initier de nouveaux pas pour se procurer chaque fois un peu plus de légèreté.

L'esprit humain ne cesse de se donner des moyens de parvenir à ses fins, dans la mesure où il reçoit de petites attentions soutenues par la réflexion, le silence et la solitude, afin de laisser place à une plus grande capacité d'imagination et de créativité. Encore faut-il être à même de faire la distinction entre ce que la futurologue Jean Baker Miller appelle «le pouvoir sur soi-même» et «le pouvoir sur les autres». Elle écrit: «Du point de vue du développement humain, plus un individu est développé, plus il a de capacités, plus il est efficace et moins il ressent le besoin de limiter ou de restreindre les autres.»

Cette invitation à un épanouissement de soi permettra certainement de développer de nouvelles valeurs, tout en renforçant celles déjà présentes en chacun de nous: l'estime de soi, la confiance, la tolérance, la sensibilité. Ce développement nous permettra de nous recueillir lors d'événements difficiles et d'aller puiser au fond de nous les ressources pour d'abord encourager notre réflexion et, par la suite, chercher soutien, stabilité et responsabilité quant à la situation qui nous préoccupe.

La consommation abusive de films, de musique, de séquences vidéo à caractère violent nous conduit à une banalisation de cette violence. Le fait de voir et d'entendre la souffrance des autres nous rend-il plus heureux? Passer des heures et des heures à naviguer dans Internet – sans rien enlever à son utilisation précieuse, à usage modéré – ne risque-t-il pas de banaliser les relations humaines? Qui est celui qui inventera un jeu à caractère humain, c'est-à-dire pouvant développer des qualités et des compétences humaines? Trop de potentialités sommeillent en nous. Cette idée est mise en lumière par le psychologue humaniste américain Rollo May quand il définit l'être comme «une structure unique de potentialités qui, en se déployant, donne à l'individu sa physionomie propre[20]».

Le déséquilibre perçu entre l'expérience intérieure et les choix établis conduit souvent à une nouvelle

---

20. MAY, Rollo, *Psychologie existentielle*, Paris, Éditions de l'Épi, 1971.

étape de croissance. La voie du désaccord instaurée entre ce que l'adulte croyait être et les aspirations de sa nature profonde, et la dissonance provoquée par ses voix intérieures, permettront à l'individu d'entreprendre la tâche de se réconcilier avec lui-même. Comme le disait si bien Claude Paquette dans *L'analyse de ses valeurs personnelles* (1982):

> Il est préférable de vivre une situation de déséquilibre temporaire si cela nous permet par la suite de faire des choix personnalisés qui nous permettront de retrouver progressivement un nouvel équilibre qui sera plus satisfaisant parce que plus conscient[21].

La dualité entre le «moi» profond et la rationalité de nos choix quotidiens nous invite à une éternelle réflexion sur l'équilibre à concevoir dans la vie.

> Ceux qui traversent les crises les plus pénibles ne sont pas nécessairement ceux qui trouvent les solutions les plus inspirées. Ce sont plutôt ceux qui s'astreignent à un arrêt pour réfléchir et examiner les vrais problèmes qui savent en tirer profit[22].

---

21. PAQUETTE, Claude, *L'analyse de ses valeurs personnelles*, Montréal, Éditions Québec Amérique, 1982.
22. SHEEHY, Gail, *Les passages de la vie*, Boucherville, Éditions de Mortagne, 1982, p. 216.

—

**Ce n'est pas tant ce que les gens ignorent
qui cause problème; c'est tout ce
qu'ils savent et qui n'est pas vrai.**
MARK TWAIN
Le prince et le pauvre

—

SAVOIR RENONCER

Si autrefois, gagner, être le premier était tout ce qui
comptait, quitte à tout bousculer pour atteindre les som-
mets, aujourd'hui, un autre discours s'installe. Renoncer,
tolérer les différences, reconnaître la valeur de l'échec
comme celle du succès, procéder à un examen de ses
priorités personnelles et savoir accepter les contraintes
de l'existence comme autant d'enjeux prioritaires à la
survie de l'individu, sont les nouvelles vertus sur lesquelles s'appuie notre société. «Il y a quantité de choses
auxquelles il nous faut renoncer pour devenir adulte. Et
on ne peut devenir un être séparé, responsable, relié aux
autres, conscient, sans passer par des moments de
renoncement, de deuil, et de lâcher prise[23].»

Pour s'en convaincre, prenons l'exemple de cet
écrivain et journaliste sportif bien connu du quotidien
montréalais *La Presse,* qui raconta à une collègue, à

---

23. VIORST, Judith, *Les renoncements nécessaires,* Paris, Éditions
    Robert Laffont, 1988, p. 347-348.

l'occasion de son cinquantième anniversaire, que lors de son arrivée dans le monde médiatique, il avait dû lui aussi montrer ses «couleurs», bousculer par ses mots, par ses regards et apprendre à faire cavalier seul. Fait à remarquer, il affirma que si c'était à refaire, il n'aurait pas recours aux mêmes moyens pour faire valoir ses compétences et il ajouta: «Les personnes qui lisent ces phrases et qui se souviennent de ce passé, je vous prie d'accepter mes excuses.»

Aujourd'hui, l'obtention d'un emploi n'est plus le fruit de bousculades, mais bien le résultat d'une double intelligence (savoir-être et savoir-faire) et d'une certaine propension à prendre soin de soi et des autres; une grande solidarité humaine où le soi devient nous: «Chacun porte en soi la figure de l'autre en même temps que la sienne propre[24].»

Apprendre à devenir adulte c'est, par un processus volontaire de renoncement, vouloir changer plusieurs aspects de sa vie actuelle; ne plus déterminer sa valeur personnelle par son apparence physique, la possession de biens matériels, le travail sans relâche, l'incapacité de dire ou le rejet dans une relation de couple malheureuse. Le renoncement doit se frayer un chemin dans plusieurs secteurs de notre vie.

Lorsque nous avons le sentiment que la créativité, le plaisir, le rêve, l'étonnement sont absents de nos vies, nous devons dès lors accepter de renoncer pour ne pas

---

24. LYOTARD, Jean-François, *L'inhumain. Causerie sur le temps*, Paris, Les Éditions Galilée, 1988.

être dans l'obligation de trouver des joies de substitution peu recommandées, ou encore, de satisfaire ce besoin d'aller voir ailleurs et sombrer sous le poids de fausses perceptions ou de pseudo-vérités. «Le renoncement exige qu'on passe par des angoisses équivalentes à celles que causeraient en réalité... les opinions et les croyances sur ce qui est bien et ce qui est stable[25].»

LE COURAGE

Dès la naissance, nous explorons un long fleuve dont la descente peut être périlleuse ou merveilleuse, souvent les deux. Le fleuve, c'est-à-dire la force incontrôlable qui nous transporte, est un partenaire de vie et il faut apprendre à l'apprivoiser avec courage, dans les moments de calme comme dans les moments de tempête. Le courage n'est pas le fruit d'un héritage génétique, il se développe à force d'expériences de vie, de malheurs, de combats, d'acharnement, d'échecs et de succès. C'est en découvrant et en apprivoisant la peur que l'on devient courageux. «Cultiver le courage nous apprend à vaincre nos lâchetés.» (Pascal Ide, *Construire sa personnalité*, 1991) Par contre, «quand la prudence est partout, le courage n'est nulle part» (le cardinal Mercier). Alors, que nous reste-t-il pour développer le courage? Consentir à vivre certains risques, c'est se laisser courtiser par les mystères de la vie.

---

25. WEIL, Simone, *La pesanteur et la grâce*, Paris, Plon, 1988, p. 46.

—

**Sois courageux, rêve: mais ne bâtis pas
ta tour trop haut; si parfois tu tombes,
ça ne fera pas si mal.**
ALBERTINE HALLÉ
La Vallée des blés d'or

—

Pour s'ajuster aux diverses étapes de son actualisation, la personne humaine, tel un fleuve, doit apprendre la complicité entre les divers corps physique, mental, social, émotionnel et spirituel. Cette complicité doit d'abord se traduire par des expériences de plaisir et non de rigidité dans le but de se perdre temporairement, ou encore, pour plaire à d'autres individus ou se laisser dominer. Cette complicité entre les divers corps est le secret de l'expression de l'âme. Il s'agit seulement et courageusement de reconnaître tout au long de notre vie le dosage de nos implications pour ne pas créer avec ces corps une rivalité ou un déséquilibre. «La musique de la vie... c'est toutes les voix, toutes les aspirations et toutes les convoitises, toutes les souffrances, tous les plaisirs, tout le bien, tout le mal, tout cela ensemble, voilà le monde[26].»

---

26. HESSE, Hermann, *Siddartha*, Paris, Éditions Grasset, 1950, p. 180.

COMMENT DEVIENT-ON ADULTE?

Est-il préférable d'apprendre à se connaître en tant qu'être faisant partie d'une collectivité ou d'apprendre à identifier nos priorités personnelles en harmonie avec nos capacités et limites? Doit-on privilégier notre vie professionnelle ou, plutôt, nous construire autour de nos rêves, nos passions, nos intuitions? Doit-on en conclure que les premières années de notre vie donnent une tournure finale au développement de notre personnalité adulte? Est-ce une question d'intelligence, de liberté, de quête de sens, d'amitié? Faut-il se contenter de la psychanalyse, de la thérapie, de la communication, des médecines alternatives, de la biologie, etc., pour nous dire ce qu'il faut ou ne faut pas faire? «Il y a lieu de se demander si cela ne fait pas partie de l'éloignement graduel du concret, à la faveur d'abstractions, de fictions, de "réalité virtuelle", et le reste, qui caractérise nos sociétés[27].»

La plus belle chose dont nous pouvons faire l'expérience est le mystérieux.
ALBERT EINSTEIN
Physicien suisse

---

27. De KONINCK, Thomas, *De la dignité humaine*, Paris, Éditions P.U.F., 1995, p. 33.

Selon le temps, l'espace et l'énergie dont il dispose, l'adulte se dirige vers des expériences, des connaissances et des attentes personnelles et sociales.

Toutefois, lorsque nous prenons conscience que notre façon d'agir nous rend malades, ainsi que ceux qui nous entourent, ayons la maturité d'esprit de faire les changements qui s'imposent. Nombreux sont ceux qui ne tiennent pas à réagir aux malaises qu'ils vivent ou qu'ils font vivre aux autres. Est-ce par ignorance ou pour se venger des blessures de l'enfance? Cessons de creuser le fossé entre ce que nous refusons d'admettre et les douleurs que nous provoquons ou subissons. Nous sommes si nombreux à remplir le cercueil de nos malaises que nous finissons par ignorer les sources de nos conflits intérieurs. Je suis d'accord pour dire que le passé nous accompagne à tout âge; que nous sommes inondés d'incertitudes de par nos choix de vie et de société, consentis ou non, que nous devons recommencer, pardonner et retisser les liens qui nous unissent dans la vie et y joindre, par moments, la distance nécessaire et les remises en question. J'admets aussi que nous devrons tous apprendre à renoncer pour mieux grandir et laisser place à de nouvelles expériences de vie, et que le courage est nécessaire pour prendre des risques, pour reformuler nos priorités et pour revoir nos propres besoins. Mais tout ce qui précède ne constitue pas une raison de baisser les bras et de tout abandonner.

Voici l'histoire:

Comme conférencier, mes interventions ont été nombreuses dans le milieu hospitalier, compte tenu des changements, des restructurations, des fermetures et tout le reste. Il me fallait trouver une réponse positive à ce virage ambulatoire. Mon introduction a porté, pour la plupart des présentations, sur la conviction que le changement était une occasion extraordinaire de transformation. Mes propos s'orientaient comme suit: «Le changement permettra à plusieurs d'entre vous d'augmenter leur espérance de vie. Il n'est pas normal de travailler pendant plus de dix ou quinze ans au même endroit et de subir les mêmes conditions; parler avec les mêmes personnes; utiliser le même ascenseur; manger à la même cafétéria; prendre la même route pour aller au travail; ne jamais aller à un autre étage que le sien; émettre les mêmes critiques, les mêmes jugements, avoir les mêmes préjugés. Cette mobilisation est une invitation à sortir de votre zone de confort, à secouer votre âme, à revoir vos priorités, à renouer de nouvelles amitiés et à tenter de nouvelles expériences.»

—

Personne ne découvre de nouvelles terres sans consentir à perdre de vue le rivage pendant très longtemps.
ANDRÉ GIDE

—

RÉFLEXION

▶ Le manque de référence à soi-même et le temps d'arrêt précieux que nous négligeons d'intégrer dans notre horaire quotidien nous empêchent de mieux revoir nos priorités.

▶ Le silence est indispensable à une compréhension intime des choses.

CHAPITRE 2

La route de l'âme

*Dirige ton regard à l'intérieur,
et tu trouveras des milliers de régions
encore inexplorées.*

HENRY DAVID THOREAU,
Walden ou la vie dans les bois (1922)

S e sentir mal à l'aise peut parfois nous révéler notre incompétence comme cause probable de ce trouble qui nous préoccupe. Nous sommes facilement tentés de rendre responsables de ce malaise et de nos conflits intérieurs les personnes de notre entourage (mère, père, conjoint), ou les institutions (travail, famille, société, «système» en général). Qui que nous soyons, à un moment ou à un autre de notre existence, nous voulons régler des comptes, dire ce que nous pensons une fois pour toutes, le sortir de nous, le crier avec des mots, le parfumer d'odeurs, le simplifier, le polir, le toucher, le traduire par une gamme d'émotions. Et pourtant, certaines douleurs, certaines souffrances restent bloquées en nous, conséquences des choix et des événements passés que nous voudrions évacuer, désamorcer. Nous ne connaissons pas toujours les mots, les codes, les registres ou les références nous permettant de mieux décrire ce que nous ressentons, tout comme nous ne considérons pas que cet état de crise puisse être normal, partie intégrante de la vie humaine.

Dans ce cas, mon conseil est d'en rester là. N'oublions pas que même ces douleurs sont nécessaires pour apprendre et pour poursuivre une route importante, celle de l'âme. «C'est dans les moments de faiblesse que l'âme se manifeste le plus clairement... En nous efforçant d'échapper aux erreurs et aux échecs humains, nous nous empêchons d'atteindre notre âme[1].»

—

Tu seras aimé le jour où tu pourras montrer ta faiblesse, sans que l'autre s'en serve pour affirmer sa force.
CESARE PAVESE
Le métier de vivre

—

L'âme a autant besoin de solitude, de douleur, d'inconnu que de présence, de joie et de certitude. Essayons simplement de respecter l'essence individuelle de notre âme: «L'âme se trouve à mi-chemin entre le conscient et l'inconscient, elle n'utilise ni l'esprit ni le corps, elle se sert plutôt de *l'imaginaire*[2].» L'imaginaire s'exprime dans le jeu, dans un monde de rêverie, dans ces moments où, comme adultes, nous agissons comme des enfants. Un univers qui nous permet de revivre, d'entreprendre de liquider des émotions comme la haine et la culpabilité et de commencer à assumer nos folies enfouies. «La sagesse s'apprend à travers la folie.» (Andrée Christensen, *Pavane pour la naissance d'une infante défunte*, 1993)

---

1. MOORE, Thomas, *Le soin de l'âme*, Paris, Éditions Flammarion, 1994, p. 57.
2. MOORE, Thomas, *Le soin de l'âme*, Paris, Éditions Flammarion, 1994, p. XV.

Accepter de vivre pleinement, c'est aussi accepter de faire surgir l'imaginaire de l'intérieur, de ces endroits du corps qui, si silencieux, risquent de développer une insensibilité qui pourrait se traduire en symptômes.

D'ailleurs, comment pouvons-nous révéler les secrets de notre corps si nous ne les invitons pas, par moments, à se laisser écouter en leur octroyant le temps et l'espace nécessaires. Mettons en place notre talent et notre imagination, cessons de nous manipuler nous-mêmes, cessons de nous interdire les élans de notre personnalité. Courons sans jamais nous arrêter vers ce qui nous semble interdit, voire impossible, car c'est peut-être là que se trouvent les questions ou les réponses à bien des mystères de notre personnalité. «La réalité psychique sera toujours structurée autour des pôles de l'absence et de la différence; et les êtres humains devront éternellement faire face à ce qui est interdit et à ce qui est impossible.» (Joyce Mc Dougall)

Voici l'histoire:

Quelques années après l'échec de son mariage, Marie, 50 ans, établit une seconde relation avec un homme, son cadet de quelques années, et fraîchement divorcé. Son besoin de tendresse était tel que Marie se refusait à poser les questions qu'elle aurait dû poser... ne voulant rien déranger; elle osait à peine lui parler de son passé. L'homme qu'elle avait rencontré était plutôt de type manipulateur, dépendant; il s'emparait des biens et des sentiments de cette femme sans se soucier de ce qu'elle pouvait ressentir. Leurs sept ans de concubinage furent sept ans d'enfer pour elle. Il finit par mettre un terme à la relation.

Regardons le film de cette histoire. Un mois après leur rencontre, Marie décida de vivre avec lui, ne sachant trop à qui elle avait affaire. Cet homme avait sans contredit un besoin de temps, d'espace, de réflexion, pour comprendre, pour se responsabiliser face à son premier divorce. Sans doute que cette relation précipitée avait fait en sorte que cet homme n'avait pas pu se départir de l'accumulation d'émotions douloureuses enfouies à l'intérieur de lui, et ce fut Marie qui ramassa les pots cassés.

Lorsque nous remettons les explications à plus tard ou encore lorsque nous n'osons rien dire, cette peur des mots se traduit souvent par des déplacements d'émotions. La douleur fait place à la colère, et l'autre sert d'exutoire. «La colère n'est jamais sans raison, mais c'est rarement la bonne raison.» (Benjamin Franklin) Blâmer qui que ce soit d'un échec est inutile; c'est en osant questionner l'innommable que nous permettons à l'autre de déposer son fardeau. Si l'autre refuse la communication ou s'il répond par la négative, une partie de la réponse que nous attendions est déjà contenue dans cet agissement. Le plus grand service à lui rendre est alors de lui fournir l'espace nécessaire pour lui permettre de trouver ses propres réponses.

—

Elle préfère vivre à 100 % dans la vérité même brutale, qu'à 50 % dans l'inconfort moelleux, douceâtre du mensonge.
MARIE LABERGE
Quelques Adieux

—

Notre développement suppose, pour chaque étape, la perte d'une enveloppe protectrice. Changer nous laisse vulnérables, mais nous conduit aussi à découvrir en nous-mêmes les forces qui permettent de prolonger notre cheminement sur des voies encore inexplorées de notre être. Il ne s'agit plus de mettre le doigt sur ce dont nous avons été victimes, mais plutôt de savoir comment composer avec ces réalités pour qu'elles deviennent des partenaires ou des références. Nous sommes nombreux à nous infliger des torts ou à chercher des coupables, voire à fouiller le passé pour justifier ce que nous devenons. Un lâcher prise est nécessaire à chacun d'entre nous dans les choix que nous devons faire et les situations que nous vivons pour poursuivre la route. Nous ressentons alors l'urgence de changer quelque chose, d'agir, de vivre.

—

C'est la vie qui donne du sens à la douleur et non la douleur qui donne du sens à la vie.
BERTRAND VERGELY
La souffrance

—

Jusqu'à quel point faut-il apprendre que nous devons lâcher prise et partir pour mieux revenir? «Progresser signifie partir[3].» Nous, hommes et femmes, sommes à la porte de l'intériorité; préparons-nous à l'aborder. Le défi maintenant en est un, comme disait si bien Gérard Artaud (*L'adulte en quête de son identité*, 1985), de quitter une identité empruntée et de retrouver des repères intérieurs. Dans *Le temps du changement*, Fritjof Capra dit: «On ne peut décider personne à changer. Chacun de nous est le gardien de la porte du changement qui ne peut être atteint que de l'intérieur[4].» Désormais, notre meilleur espoir n'est-il pas de demeurer attentifs, de reconnaître les moyens qui amèneront une plus grande intériorité et, par voie de conséquence, une plus grande coopération entre les individus? Les injustices existeront toujours, tout comme les changements, les pertes. Tout cela fait partie intégrante de la

---

3. HILLMAN, James, *La beauté de Psyché*, Montréal, Éditions Le Jour, 1993.
4. CAPRA, Fritjof, *Le temps du changement*, Monaco, Éditions Du Rocher, 1983.

vie. En vivant – plutôt qu'en les niant – nous gagnerons en intériorité et en coopération.

Nous devons, pour cela, redonner libre cours à l'émotion, à l'amour, à l'enthousiasme, à la bienveillance, à la dignité, à l'attention à autrui. Et il nous faut devenir des individus avec une biographie et une histoire, des individus qui sauront exister au-delà de chacune de leurs manifestations, qui se considéreront comme responsables de leurs actes, qui s'engageront pour l'avenir et reconnaîtront dans les autres leur propre nature.

—

**Le changement est inéluctable.
Chacun devra faire des sacrifices.**
ROMAN HERZOG
Président de la République d'Allemagne

—

Dans le livre *Le courage de créer* (1993), l'auteur, Rollo May, nous propose une histoire qui justifie une révision de nos attitudes pour mieux traduire la route de l'âme. May relate des propos de George Bernard Shaw qui nous offrent une occasion de réfléchir.

Après avoir assisté à un récital du violoniste Heifetz, il lui écrivit la lettre suivante:

Cher Monsieur Heifetz,

Mon épouse et moi-même avons été émerveillés par votre récital. Si vous continuez de jouer avec un tel talent, il est probable que vous mourrez jeune. Personne ne peut émettre des sons d'une telle perfection sans susciter la jalousie des dieux. Je vous supplie instamment de mal jouer un morceau chaque soir avant de vous coucher[5].

Néanmoins, à quoi sert cette route de l'âme pour l'homme de quarante ans qui, tout en étant au sommet de sa carrière, est déprimé et ne se sent pas apprécié? Un désir de fuite commence à s'emparer de lui; il tente de le résoudre en cherchant de nouveaux défis au travail, en occupant son temps par une multitude de loisirs et, selon l'ampleur du vide à combler, germe en lui l'idée de faire des conquêtes, de vivre des aventures, de projeter une image invincible. Cet état rejoint-il celui de la femme de quarante ans qui éprouve un besoin irrésistible d'être désirée, et qui se retrouve soudain aussi fragile qu'une adolescente, ou incapable de renoncer à une soi-disant sécurité pour accéder à son véritable pouvoir? L'homme de cinquante ans doit-il vendre ou continuer d'acheter? Doit-il partir, voyager, retomber dans les folies de l'adolescence laissées dans l'ombre, ou se laisser guider par les délices du vieillissement? La femme de cinquante ans qui désire embellir

---

5. MAY, Rollo, *Le courage de créer*, Montréal, Éditions Le Jour, 1993, p. 24.

son apparence ou renouer avec ses envies se sent-elle soudain envahie par un sentiment de vide qui la hante et la laisse incapable de répondre à ses pulsions? Mais peut-être n'y a-t-il pas de réponses. Chaque adulte est tributaire de son passé et traverse des moments différents, tantôt faits de certitude et d'espoir, de vulnérabilité et d'angoisse, de changement et de stabilité.

> Certes, tous ceux qui ne puisent pas en eux les ressources nécessaires pour vivre dans le bonheur trouveront exécrables tous les âges de la vie. Mais quiconque sait tirer de lui-même l'essentiel ne saurait juger mauvaises les nécessités de la nature.[6]

Aujourd'hui, je peux affirmer que chaque vie est une réponse singulière à des questions que tous se posent, à des défis que tous rencontrent, à des désirs que tous partagent, à des limites auxquelles tous se heurtent. Nulle part chacun n'est plus semblable aux autres que dans son désir d'être unique.

De quelle façon nos valeurs, nos objectifs et nos aspirations sont-ils confirmés ou, au contraire, violés par notre mode de vie adulte? Combien d'aspects de notre personnalité examinons-nous, combien d'autres réprimons-nous? À combien d'aspects résistons-nous? De quelle manière vivons-nous à chaque instant notre insertion dans la société? Voilà autant de questions qui touchent à l'intériorité.

---

6. CICÉRON, *Savoir vieillir*, Éditions Aléas, Paris, 1995, p. 19.

Selon moi, pour devenir adultes, nous devons accepter nos limites et nos capacités individuelles. Il est aussi vrai de dire qu'explorer, expérimenter et s'aventurer d'une expérience de vie à une autre nous permet de mieux saisir nos propres limites et nos capacités individuelles. Lorsque l'Amour frappe à la porte, une multitude de renoncements, de limites et de compromis l'accompagne. Évitons donc de le tenir pour acquis, de peur que l'ennui, la morosité et l'oubli ne s'installent.

Il en va de même dans nos activités professionnelles. Nous avons beaucoup à gagner à alimenter d'éléments nouveaux le monde du travail en puisant à la source de nos expériences personnelles. Créer une situation plus dynamique en faisant profiter les autres de nos expériences permet d'établir des liens de confiance favorisant une meilleure coopération. Chercher à développer des compétences complémentaires, promouvoir un esprit d'engagement, valoriser les différences, tout cela dans le but avoué d'établir des liens solides entre les individus, voilà ce vers quoi nous devons tendre.

De toute démarche vers une meilleure connaissance de soi découle obligatoirement le rejet de certaines façons de voir, de penser, d'agir. Afin de jeter un éclairage nouveau sur des gestes et des attitudes que nous répétons depuis tant d'années, nous pouvons recourir à nos talents cachés. Un sens artistique qui ne demande qu'à s'exprimer, en peinture, en dessin, en musique, en danse; un désir de parler qui se transforme en poésie, en roman, sont autant d'avenues qui s'offrent à nous pour laisser surgir ces forces intérieures qui ajoutent du merveilleux à nos vies bien rangées.

—

**La source de la peur est dans l'avenir,
et qui est libéré de l'avenir n'a rien à craindre.**
MILAN KUNDERA
La lenteur

—

Aux **intellectuels**, je conseille de ne pas s'asseoir sur leurs lauriers... l'humour, la créativité et l'ouverture d'esprit sont à ajouter au menu de vos vies, même s'ils semblent être aux antipodes de vos savoirs, de vos manières d'apprendre, de vos attitudes et de vos comportements. Apprendre à se méfier de son savoir quand on en vient à négliger ses limites ou ses incertitudes est un excellent exercice mental. Nombreux sont ceux qui désirent pénétrer ce monde du savoir et à espérer, eux aussi, être écoutés et entendus.

Aux **enseignants**, je suggère cette image: essayez de parler comme si vous étiez assis sur la chaise de celui ou celle qui vous écoute. Expliquez comme des enfants, interprétez comme des musiciens, donnez des images, des sons, des repères, parlez des personnages comme des êtres accessibles, essayez de rendre à votre auditoire le goût de la réflexion et le désir de l'aventure littéraire «votre tâche consiste à vous efforcer de clarifier» (Thomas De Koninck, *De la dignité humaine*, 1995).

Aux **historiens**, je lance... soyez magiques! Parfumez votre auditoire de récits, de cas vécus, d'images, de personnages, d'objets, de façon à rendre plus réel le passé pour que tous nous y apprenions le présent.

Aux **médecins**, j'offre la vision d'une salle d'attente moins encombrée. Prenez le temps de parler, de toucher, d'établir un véritable contact et d'approcher l'intérieur de la personne. «Plus on écoute la personne et moins on a besoin de la traiter.» (Madeleine St-Michel, infirmière) Et j'ajouterai: «Plus on touche la personne et plus la douleur s'éloigne.»

Aux **propriétaires d'entreprise**, je propose une nouvelle attitude: sortez de vos bureaux... allez rencontrer le monde réel... vos employés. «Les profits pour les investisseurs représentent la valeur humaine suprême – la vie humaine a une valeur en autant qu'elle serve cet objectif.» (Noam Chomsky) L'heure est au partenariat, à la reconnaissance individuelle, à la formation continue, aux horaires de travail flexibles et à la mobilisation de l'intelligence et de la créativité de tout votre personnel. «Pourquoi n'engagez-vous et ne mettez-vous au travail que les mains et les muscles de vos collaborateurs, alors que vous pourriez bénéficier de toute leur personnalité?» (Harold Leavitt, William Dill et Henry Eyring, 1973) Combien de chefs d'entreprise vivent en effet leur profession comme un jeu, donc comme une activité de l'ordre du faire et non de l'agir, et courent le risque grave de déshumaniser les opérations en leur ôtant toute présence humaine? Rappelez-vous ceci:

«Embauche celui pour qui tu serais le plus disposé à travailler.» (Lao Tseu)

Aux **politiciens**, je propose de cesser de lire leurs discours. L'heure est aux consultations publiques. Rassemblez les idées de ceux qui sont aussi bien au pouvoir que dans l'opposition! Plus que jamais nous avons besoin de l'intelligence et de la personnalité de tous les collaborateurs.

Aux **directrices et directeurs de toutes organisations**, je dis: soyez plus sensibles aux indices, aux nuances, aux promesses, aux engagements formulés auprès des membres du personnel. Recourez à l'imagination, aux nouvelles prises de conscience, aux groupes de travail semi-autonomes. Stimulez la concertation! Encouragez la réflexion et la participation des membres à toute prise de décision!

Aux **informaticiens**, je lance… allez jouer dehors… dépêchez-vous, c'est urgent! Avez-vous remarqué que, chez la plupart d'entre vous, la vie tourne autour d'un écran? Qu'adviendra-t-il le jour où nous aurons besoin de vos émotions? À vous d'en juger!

Aux **fonctionnaires**, je suggère cette prise de conscience: vous n'êtes pas seuls dans ce monde des ministères. Prenez vos responsabilités pour préserver votre qualité de vie. Faites profiter les autres de vos expériences. Apprenez à cultiver votre bonne humeur. Levez la tête lorsque vous marchez et regardez autour de vous, il y a de grands livres à découvrir.

Et si l'on élargissait les prisonniers des pénitenciers pour les remplacer par les juges et les avocats, pour que l'ordre règne... (Jacques Flamand, *Mirage*, 1986).

À tous les **travailleurs**, je dis: si vous n'acceptez pas de transformer vos habitudes, vos attitudes et vos comportements, et plus encore, de promouvoir l'estime de soi et le respect d'autrui, la douleur ne fera que s'intensifier et, malheureusement, s'étendre à plusieurs sphères de votre vie.

Laissons Jacques Godbout et Richard Martineau nous décrire les instruments de la liberté, les outils de création et de diffusion de la pensée nécessaires à la réalisation de la personne dans le travail et la société. «Nous avons à poser des questions, mille questions, aux politiciens qui sont paralysés par les certitudes, aux journalistes qui dramatisent l'actualité sans remettre leur propre rôle en question, aux exploiteurs de tout acabit, et à nous-mêmes sûrement, pour débusquer le mensonge...[7]»

---

7. GODBOUT, Jacques et MARTINEAU, Richard, *Le buffet*, Montréal, Éditions du Boréal, 1998, p. 58.

—

**D'une façon très générale, on peut dire
que l'incertitude humaine est liée à la
possibilité de l'erreur et du mensonge.**
JEAN-FRANÇOIS MALHERBE
L'incertitude en éthique

—

Le monde du travail nous invite aujourd'hui à réexaminer les buts et la manière de faire un autre usage de nos talents. Les temps nouveaux obligent tout un chacun à apprendre à vivre avec l'instabilité continue, tout autant qu'à réconcilier des réalités en apparence paradoxales. Rivolier disait: «La personne est un être paradoxal. Il demande de la nouveauté, du changement, de l'agitation, mais jusqu'à un certain point seulement. Il lui faut aussi l'inverse: des habitudes, des traditions, des symboles stables, de la quiétude.»

Ainsi, plus les individus se sentent dépersonnalisés par cette haute technologie qu'ils ont inventée pour être libres, plus ils cherchent à créer des liens et à se rapprocher les uns des autres. Plus ils constatent l'imminence d'une économie globale, devenue inévitable en raison des interdépendances, plus ils sentent le besoin de se réaffirmer sur le plan psychologique, culturel et même linguistique. Enfin, plus les moyens deviennent nombreux et diversifiés de satisfaire des besoins qui sont toujours les mêmes, plus l'humain veut y retrouver une signification humaine presque morale.

La gestion des «choses» et des capitaux cède le pas à la gestion des cerveaux et des libertés. *Le respect de l'intégrité de l'individu est déjà perçu comme essentiel.* En l'an 2000 et dans les suivantes, les entreprises qui réussiront seront celles qui sauront faire les bonnes lectures des valeurs et des besoins individuels.

Toutefois, n'oublions jamais que les mauvais sentiments doivent pouvoir s'exprimer tout autant que les bons. Savoir admettre ceci est déjà un avantage. L'expérience de la solitude et la prise de conscience du fait que l'on est entièrement responsable de soi-même sont aussi souhaitables. Nous n'avons pas à demander de permission, nous sommes les seuls détenteurs de notre sécurité. Certaines facettes masculines ou féminines ignorées de notre personnalité peuvent apparaître. D'ailleurs, *une éthique des relations ne sera possible que si nous parvenons à intégrer les côtés féminins et masculins de notre personnalité,* laissant ainsi disparaître nos mécanismes de domination ou de fuite. L'humain ayant élaboré tout un réseau d'évasions, nous sommes prisonniers de notre habitude de fuir.

Plaçons la sensibilité au cœur de nos relations. Le compromis devient nécessaire à toute prise de décision; ainsi, gardons bien à l'esprit que seul le respect mutuel est gage de référence dans la poursuite d'un objectif. De même, nos perceptions des autres ou de la vie en général doivent faire l'objet d'une sérieuse réflexion lorsque nous posons un jugement, ou qu'au contraire, nous subissons des préjugés de la part d'autrui.

—

En réalité, nos critiques virulentes sur les autres ne sont rien d'autre que des pièces non reconnues de notre propre autobiographie. Si vous voulez connaître à fond quelqu'un, écoutez ce qu'il dit sur le compte des autres.
KEN WILBER
Les trois yeux de la connaissance:
la quête du nouveau paradigme

—

Nos perceptions sont tributaires de l'héritage du passé, de notre culture, de notre éducation, de nos savoirs, du réseau social et des expériences que nous choisissons de vivre. Pour pouvoir bénéficier d'une perception juste de la réalité, vivons de nombreuses expériences, agrandissons notre vision sur la vie, sur les individus et maintenons un contact étroit avec les générations qui nous précèdent. Il est de notre responsabilité de prévoir un large éventail d'expériences de vie pour gagner en sagesse et minimiser tout discours et toute attitude pouvant conduire à des préjugés. Sachons introduire toutes les formes «contraires» de la vie pour mieux répondre à des situations, des difficultés, des personnes et des inquiétudes. Et c'est seulement en acceptant ces éléments refoulés ou méconnus de nous-mêmes que nous parviendrons à être authentiques. Les dimensions contraires de ce que nous sommes ou de ce que nous choisissons de vivre offrent souvent la réponse à bien des préoccupations. C'est en refusant d'assumer un comportement d'emprunt ou de nous plier à un certain conformisme que nous renouvellerons notre personnalité.

Néanmoins, il faudra apprendre ou réapprendre à exploiter nos ressources intérieures pour alimenter la réflexion, saisir les faits globalement, s'assister mutuellement, même dans la controverse, pour mieux harmoniser nos efforts, et enfin, conserver une soif immense d'actualisation de soi et de coopération vis-à-vis d'autrui.

En d'autres mots, il ne s'agit plus seulement de prendre en main son avenir professionnel ou de faire preuve de responsabilité dans ses engagements en tant que conjoint, ami, collègue, parent, frère ou sœur, ou toute personne faisant partie intégrante d'une société, encore faut-il le faire aussi avec *transparence* et *sensibilité*.

Dans une société où l'on se sent de moins en moins important, valable, il faut se trouver de nouveaux repères, se faire de nouveaux alliés. Sous le déferlement de biens et de produits visant à améliorer sa qualité de vie, l'Homme, qui a sensiblement les mêmes besoins que ses ancêtres, cherche avec plus d'acharnement un but, un sens. Ne pas abdiquer devant la technologie, ne pas reculer devant les questions humaines qu'elle entraîne, mais utiliser tout ce qui se présente pour avancer comme collectivité, voilà l'enjeu décisif de cette fin de millénaire.

Après cette analyse de ce qui nous entoure maintenant et de ce qui nous attend, dans les années à venir, des sentiments contradictoires (la peur, l'exaltation) s'emparent de nous et c'est compréhensible: vivons-les, tout simplement. Dans cette aventure, nous restons fondamentalement les mêmes et, bien que l'avenir nous donne en apparence moins de choix concrets, il n'en demeure pas moins que nous aurons des décisions à prendre qui n'engageront que nous. Nous serons toujours maîtres de notre destinée. On ne répétera jamais assez que le respect, la confiance et la solidarité sont des valeurs incontournables, elles sont les premières à cultiver quand on entreprend le grand voyage intérieur.

—

**Savoir refuser quelque chose
sans forcément être capable de se l'expliquer,
ça demande de la confiance.**
JULIETTE BINOCHE
Actrice

—

RÉFLEXION

▶ La vraie grandeur est du côté de la faiblesse avouée.

CHAPITRE 3

Se connaître
soi-même

*Ce qui est derrière nous et qui est devant
nous ne sont que peu de choses comparés
à ce qui est au-dedans de nous.*

OLIVER WENDELL HOLMES

*U*ne conscience aiguë de ce qui vient de nous, de nos désirs profonds, de nos goûts nous est essentielle. Les influences puisées à tous les domaines, reconnues comme telles, et utilisées pour orienter nos choix, sont d'excellentes occasions de croissance. Le sens critique que nous développons ainsi nous donne un pouvoir nouveau dans la vie. En effet, en percevant les modes, les tendances, les influences comme nous étant extérieures, nous laissons émerger notre personnalité propre. Dans cet apprentissage, la tentation peut être forte de suivre le mouvement et de se fondre dans le groupe; c'est pourquoi il serait intéressant de promouvoir une meilleure connaissance de soi, que ce soit en démystifiant le concept ou en vantant ses mérites. La route peut nous paraître difficile, mais comme le dit Paulo Coelho: «Aucun cœur n'a jamais souffert alors qu'il était à la poursuite de ses rêves[1].»

Dans le même sens, Colarusso et Nemiroff (1981) dans *Adult Development: A New Dimension in Psychodynamic Theory and Practice* rapportent qu'un être, pour devenir authentique, doit accepter un interminable travail d'ajustement à soi-même, aux autres et au monde, qui se réalise par un abandon graduel du *self*

---

1. COELHO, Paulo, *L'alchimiste*, Paris, Éditions Anne Carrière, 1994, p. 204.

113

grandiose (l'image de soi); une acceptation progressive de ses propres limites et de ses imperfections; et un processus normal de deuil (Pollock, G. H., *Mourning and Adaptation*, 1961) à l'égard de ce que nous ne sommes pas ou de ce que nous ne sommes plus. Comment penser s'enrichir de nouveaux savoirs si nous n'arrivons pas à abandonner nos refuges, nos faux idéaux?

—

**Pour atteindre certains buts,
il faut apprendre à les abandonner.**
MARGARET MEAD
Du givre sur les ronces

—

Prendre du recul, fermer la porte temporairement aux «influences», pour se trouver ou se retrouver n'est pas un exercice facile. Où commence l'impact de la culture, de l'éducation, des expériences heureuses ou malheureuses? Devant tant de questions sans réponses précises, recourir à nos repères intérieurs, chercher à cerner nos sentiments profonds semblent être les meilleures solutions. C'est grâce à ce passage d'un mode à l'autre, valeurs personnelles et valeurs de société, que l'on en vient à un «compromis fonctionnel». Claude Paquette, dans *L'Effet caméléon* (1990), souligne la difficulté à établir une cohérence entre les valeurs de préférence et les valeurs de référence. «La cohérence est nulle autre que ce qui peut prétendre qu'il existe une corrélation entre son quotidien et ses aspirations[2].»

S'écouter parler est un moyen efficace pour se rapprocher de ce que l'on vit intérieurement. En effet, n'avez-vous jamais constaté que ce que nous disons est parfois très différent de ce que nous pensons ou ressentons? Selon les situations ou les gens à qui nous nous adressons, nous utilisons le discours établi, celui qui ne fera pas de vagues. Le processus visant à définir notre propre identité est fait de recherches intérieures et de confrontations avec l'extérieur; les deux sont indissociables. Faire nôtres des valeurs, les endosser, les défendre dans le respect des autres se révèle souvent efficace. Vivre nos valeurs sur le terrain personnel, professionnel, familial, social est une «confrontation» nécessaire.

L'adulte doit en venir à vivre sans les approbations, les commentaires de tous ceux qui l'entourent, cesser d'écouter toutes ces voix qui l'interpellent et se mettre à l'écoute de sa voix intérieure. Laisser les autres prendre des décisions qui nous concernent nous amène à vivre selon leurs valeurs, qui, si elles ne sont pas forcément mauvaises, n'en sont pas pour autant les nôtres. Vivre ainsi entraîne dépendance, confusion, méfiance et désengagement.

Avons-nous peur d'évoluer? Quand nous entreprenons d'examiner en profondeur nos pensées, nos sentiments,

---

2. PAQUETTE, Claude, *L'Effet caméléon – à la recherche d'une cohérence dans nos valeurs*, Montréal, Éditions Québec Amérique, 1990, p. 28.

nos croyances, dans le but d'en dégager une vision qui nous soit personnelle, il est normal que nous rencontrions des zones de résistance ou d'inconfort. Il existe en effet des moments, dans ce processus d'auto-actualisation, où faire marche arrière avant d'affronter une réalité plus ou moins angoissante est très tentant. Laisser libre cours à nos émotions, ne rien réprimer, être vulnérable et courir le risque d'être maladroit est un processus souvent hasardeux.

—

Vous n'êtes pas obligée de représenter sans cesse le bien.
JUDITH VIORST
Les renoncements nécessaires

—

Le «Connais-toi toi-même» de Socrate continue d'être une utopie. «Il faut pourtant si peu pour s'y mettre et l'on s'imagine qu'il faut tant et tant de biens matériels pour y accéder. La confusion demeure. Une confusion entre les richesses matérielles et les richesses intérieures[3].»

Nous sommes seuls avec nos pensées et nos sentiments. Les autres peuvent, à l'occasion, les partager, mais personne ne pourra jamais les vivre comme nous

---

3. THOREAU, Henry David, *La désobéissance civile*, Montréal, Éditions TYPO, 1994, p. 82.

116

les vivons, ni femme, ni mari – même s'ils savent finir nos phrases – ni amis, ni aînés – même s'ils témoignent de la meilleure volonté – ni même, pour finir, nos parents – même s'ils savent nous protéger. Chaque individu aborde les étapes, les saisons de son évolution avec une énergie qui le caractérise; certains ne vont jamais jusqu'au bout de toutes les étapes. L'adulte se développera, pourvu qu'il mette l'accent sur le présent et non sur le passé, sur ses relations actuelles plutôt que sur ses relations anciennes; qu'il devienne de plus en plus capable d'autonomie et d'interdépendance; qu'il accorde une place accrue au partenaire réel et à l'enfant réel par opposition au partenaire idéal et à l'enfant souhaité.

N'avez-vous jamais balayé les valeurs d'autrefois, jugeant qu'elles étaient adaptées aux générations passées, alors que notre système actuel mobilise des changements constants qui taxent notre adaptation? Dès lors, concevoir l'adulte comme un être en mutation et comme étant la somme des expériences variées (éducationnelle, sociale, culturelle, intellectuelle) auxquelles il prend part, s'avère une priorité pour mieux s'adapter aux changements. Le degré de conscience de la réalité semble directement proportionnel au degré d'engagement au changement personnel. Observer sa réalité, l'analyser, y réfléchir, la questionner, se décider, agir sur sa nouvelle réalité, voilà les éléments majeurs du processus d'auto-actualisation. En d'autres termes, «l'avenir dépendra principalement de la conception que nous, les adultes, avons de nos potentialités et de nos implications[4]». Tout cela me fait espérer que nous assisterons à un développement de la personnalité basé sur l'authenticité. Qui sait, peut-être, abandonnerons-nous notre douloureuse envie de mentir pour la remplacer par la sincérité!

—

La sincérité est une ouverture de cœur qui nous montre tels que nous sommes; c'est un amour de la vérité, une répugnance à se déguiser, un désir de se dédommager de ses défauts et de les diminuer même par le mérite de les avouer.
LA ROCHEFOUCAULD
Maximes et réflexions

—

Tout ce qui arrive, tant sur le plan mondial qu'individuel, pose le problème de l'esprit humain. Est-ce la faute de causes externes, du passé, du présent, du futur? De quoi souffrons-nous? Au cœur de l'âme humaine, cachée profondément, sommeille la cause. Cherchons à comprendre et acceptons ce qui nous anime, ce qui nous convoque. Husserl ajoute: «Partout à notre époque se manifeste le besoin pressant d'une compréhension de l'esprit[5].»

---

4. EISTER, Riane, *Le calice et l'épée*, Paris, Éditions Robert Laffont, 1989, p. 226.
5. DE KONINCK, Thomas, *De la dignité humaine*, Paris, Éditions P.U.F., 1995, p. 42.

Le nouveau millénaire… serait-il une invitation à mieux saisir ce qui se passe dans la tête et le cœur des êtres humains? Chaque personne ne se définit plus que par son aptitude à produire, à consommer et à épargner. Elle n'est plus que le neurone passif d'une machine économique et financière qui n'a d'autres fins qu'elle-même. Désormais largement employé et bien compris des économistes, le concept de «capital humain» découle de la prémisse selon laquelle le «capital» se trouve de moins en moins dans la terre, les usines, les outils et les machines, mais de plus en plus dans le savoir et les compétences que les êtres humains ont dans la tête et dans le cœur.

Nous n'avons pas à demander de permission, car nous sommes des êtres libres et autonomes. Dans nos actes comme dans nos pensées, le choix nous revient. Le choix de faire quelque chose de bien, de bon, mais aussi le choix de penser quelque chose de mal. Ces émotions nous habitent tous; à nous de les vivre pour faire sortir ces forces contraires qui nous occupent l'esprit. Personne n'est complètement bon ou complètement mauvais, les deux pôles sont à l'œuvre, qu'on le veuille ou non, qu'on cherche à les taire ou non. Se connaître, c'est recommencer, confronter, initier de nouveaux modes de penser, de nouvelles façons de vivre, c'est se révéler à soi-même et accepter ses imperfections. «Le bien comme le mal ont leur place nécessaire dans l'ordre des choses, selon Héraclite. Sans le jeu constant entre ces contraires, le monde n'existerait plus[6].»

---

6. GAARDER, Jostein, *Le monde de Sophie*, Paris, Éditions du Seuil, 1995, p. 51.

«Se connaître soi-même se révèle un concept sur lequel il faut insister davantage.» (Erik Erikson, *Adolescence et crise: la quête de l'identité*, 1972) Se différencier, voilà la raison d'être de l'adulte. Avoir le courage d'aller à l'intérieur de soi... pour l'excellente raison que, sans sa différenciation, l'être demeure dans une condition de mélange et de confusion avec autrui et que «dans cet état, il accomplit des actions qui le placent en désaccord et en conflit avec lui-même[7]».

—

On ne voit bien qu'avec le cœur.
L'essentiel est invisible pour les yeux.
ANTOINE DE SAINT-EXUPÉRY
Le Petit Prince

—

RÉFLEXION

▸ Nous devons concevoir une acceptation progressive de nos propres limites et de nos imperfections, c'est essentiel!

___

7. JUNG, C. G., *Dialectique du moi et de l'inconscient*, Paris, Éditions Gallimard, 1964, p. 230.

CHAPITRE 4

L'approche holistique

*Les actions les plus décisives de notre vie,
je veux dire, celles qui risquent de décider de tout notre
avenir, sont le plus souvent des actions inconsidérées.*

ANDRÉ GIDE

*H*olistique, du grec *holos*, «signifie en entier». En gardant en tête l'idée de concevoir le développement humain dans sa globalité, ce chapitre permettra de voir comment la découverte et la mise en valeur de notre potentiel, engagent non seulement tout notre corps, tout ce que nous sommes, mais aussi tout ce que nous laissons dans l'ombre et qui désire s'exprimer. Le corps entier participe à toutes les expériences auxquelles on le soumet. Ces expériences sont vécues chacune à leur niveau, physique, mental, émotionnel, spirituel et, de façon moins personnelle, mais tout aussi importante, sur le plan social, familial et culturel.

Chacun a sa manière personnelle de vivre les événements qu'il rencontre; mais pour trouver l'équilibre, il faut en venir à vivre notre vie dans tout notre corps. Privilégier le corps physique au détriment des autres corps, mental ou émotionnel, entraîne un appauvrissement de la personnalité, un manque de moyens ou de ressources devant les épreuves. Prenons l'exemple d'un sportif qui n'a que le sport comme seul intérêt, passe-temps et sujet de conversation. Cette personne s'alimente, boit et dort pour mieux performer; sa réalité sociale gravite autour du sport; cette personne ne vit que dans son corps physique, les autres aspects de sa vie n'existent pas. Coupée de ses émotions, elle n'en ressent pas moins profondément le déséquilibre qui l'habite; au contraire, ce dernier est de plus en plus présent. Cette manière compulsive de fonctionner se trouve aussi dans le monde du travail où des gens deviennent prisonniers d'un engrenage duquel il est difficile de se sortir. Ils arrivent les premiers au bureau et repartent souvent les derniers, apportent du travail à la maison et sont disponibles à toute heure de la journée. Un cheminement qui conduit inévitablement à un désordre dans l'une ou l'autre des composantes de leur qualité de vie.

> Je ne peux pas exister isolé. Je n'existe que dans mes rapports avec des personnes, des choses, des idées, et en étudiant mes rapports avec le monde extérieur, de même que ceux que j'entretiens avec mon monde intérieur, c'est par là que je commence à me comprendre. Dès qu'on fuit, la peur survient[1].

Nous savons enfin que l'individu met souvent la meilleure partie de lui-même, ses vertus, sa générosité, sa disponibilité, son intelligence, dans son travail, dans sa profession. «Mais peut-il y avoir une morale en l'absence d'un contact, d'un rapport, d'une confrontation et d'une cohérence entre tous ces moi séparés[2]?»

Éviter de répondre, taire ou dissimuler les besoins du corps dans tous ses aspects ne font qu'amplifier les souffrances. Être à l'écoute des sensations qui se pré-

---

1. KRISHNAMURTI, *Se libérer du connu*, Éditions Stock, 1969, p. 20.
2. ALBERONI, Francesco, *La morale*, Paris, Éditions Plon, 1996, p. 29.

sentent, quels que soient les canaux de son corps qui les véhiculent, la vue, le toucher, l'odorat, l'ouïe, le goût, se révèle indispensable. *Faites confiance à vos sens*, ils sont une source d'informations, de plaisirs, de découvertes. Plus encore, le fait de respecter cette mobilité des sens nous rend à la fois plus sensibles et en harmonie avec les divers environnements dans lesquels nous évoluons.

Les informations sensorielles sont codées sous forme de représentations internes, elles sont visuelles, auditives et kinesthésiques et c'est selon les images évoquées que chaque personne réagit. Bien que tout ceci se passe souvent inconsciemment, chacun sait à quel aspect des choses il est le plus sensible, le plus attentif. Nous pouvons, à force d'écoute et d'attention, comprendre comment nous percevons les événements, les émotions; nous pouvons voir que nos réactions ne sont pas le fruit du hasard, mais d'une série d'expériences, d'apprentissages, faits par nos sens et accentués par notre mode de perception le plus développé. Un même événement sera vécu et raconté différemment selon qu'il est arrivé à une personne à prédominance visuelle, auditive ou kinesthésique.

—

**Les pensées se lisent sur le visage...
Les yeux sont les fenêtres de l'âme...
Il fait plus clair lorsque quelqu'un parle.**
FREUD

**On est incapable de remarquer quelque chose,
parce qu'on l'a toujours sous les yeux.**
LUDWIG WITTGENSTEIN

—

Découvrir comment nous réagissons à l'information que l'on reçoit nous permet de nous rapprocher de nos émotions; cela permet aussi d'en parler plus facilement. Pour être vécues, les émotions doivent être écoutées, partagées, autrement nous devenons d'éternels incompris, d'éternels insatisfaits, et condamnés au délire de la justification. L'Homme, entre le conscient et l'inconscient, est morcelé en divers corps, qui demandent chacun leur espace propre, leur possibilité de vivre, de s'exprimer, d'évoluer; réussir à harmoniser toutes ces voix, tous ces désirs, toutes ces pulsions, c'est l'aventure de toute une vie.

La vie d'aujourd'hui impose à chacun d'entre nous un horaire assez chargé. Il est donc essentiel de définir clairement comment nous pouvons mieux tenir compte, dans le quotidien, des besoins de nos divers corps. Pour réussir à intégrer à nos activités journalières la satisfaction de besoins pas toujours conscients, soyons à l'écoute de nous, acceptons nos limites et nos capacités, et surtout, apprenons ou réapprenons à nous distancer des choses, des individus pour que les divers corps reçoivent l'attention qui leur est nécessaire. «S'éveiller, c'est la clé. Il faut devenir plus alerte, plus intéressé et plus curieux envers nous-mêmes[3].» Apprendre à ralentir, c'est initier un volet indispensable à la qualité de vie.

Voici l'histoire:

Il existe un lien secret entre la lenteur et la mémoire, entre la vitesse et l'oubli. Évoquons une situation on ne peut plus banale: un homme marche dans la rue. Soudain, il veut se rappeler quelque chose, mais le souvenir lui échappe. À ce moment-là, machinalement, il ralentit son pas. Au contraire, celui qui essaie d'oublier un incident pénible qu'il vient de vivre accélère, à son insu, l'allure de sa marche comme s'il voulait vite s'éloigner de ce qui se trouve, dans le temps, encore trop proche de lui.

«Cette expérience prend la forme de deux équations élémentaires: le degré de la lenteur est directement proportionnel à l'intensité de la mémoire; le degré de la vitesse est directement proportionnel à l'intensité de l'oubli[4].»

---

3. CHODRON, Pema, *Entrer en amitié avec soi-même*, Paris, Éditions La Table Ronde, 1997, p. 23.
4. KUNDERA, Milan, *La lenteur*, Paris, Éditions Gallimard, 1995, p. 44-45.

Un sentiment de contentement s'installe quand nous donnons à chacun des corps qui nous compose cette fenêtre sur la découverte. Ainsi, le corps physique bénéficiant de relaxation, d'exercices physiques adaptés, d'une bonne alimentation emmagasine de l'énergie, de nouvelles capacités. Le corps mental obtient de nouveaux outils pour apprendre, stimuler la curiosité, les intérêts nouveaux, développer des talents, garder l'esprit en éveil. Ce sont des moyens pour que le mental participe aux changements au lieu de les subir. Il en résulte une plus grande capacité à penser, à réfléchir, à utiliser l'imaginaire. Pour bien développer le corps social, les possibilités de confronter les idées, les bonnes et les moins bonnes, sont importantes, l'essentiel étant de débarrasser le corps des peurs, des préjugés et de l'amener à établir des liens d'amitié valables, durables. La personne ainsi libérée projettera une personnalité fondée sur l'authenticité et la diversité.

Le corps familial, quant à lui, a besoin de concret, d'un projet de vie basé sur l'intimité, la continuité, l'engagement, le partage et le respect. Quand ces valeurs sont présentes à la maison, l'enfant a toutes les chances de devenir un adulte équilibré. L'adulte, de son côté, profite d'un espace privilégié pour développer ses qualités humaines et approfondir sa relation avec l'autre.

Le corps culturel n'est pas à négliger, car c'est celui qui offre les plus grandes possibilités d'évasion; se découvrir des talents artistiques permet au corps une autre forme d'expression de soi, très révélatrice parce que très près de l'inconscient. On peut aussi s'approcher des arts, en spectateur; cette démarche permet à qui veut s'ouvrir au monde de laisser tomber ses préjugés pour accepter et comprendre la vision de l'artiste. Outre l'invitation à observer l'artiste, on peut également chercher à comprendre l'importance des différences sur le plan des croyances, des modes de vie, des mentalités.

Le corps spirituel est souvent le plus mal nourri ou, au contraire, gavé de pseudo-spiritualité. Les gourous rôdent avec leur recette miracle contre les maux de l'âme qui nous affligent. Je ne veux pas juger des mouvements et des tendances dans ce domaine, mais ayons en tête que personne n'est mieux placé que nous pour savoir ce qui nous convient ou non. Parallèlement à tout cheminement spirituel, traditionnel ou non, expérimenter un cheminement intérieur constitue le fondement de tout le reste. Trouvons les valeurs fondamentales sur lesquelles d'autres viennent se greffer, notamment la croyance profonde que nous sommes unique et important. Bien que le sens réel de la vie nous échappe souvent, notre participation à son développement est importante, voire essentielle: nous faisons partie d'un tout.

Tout le malheur des hommes vient d'une seule chose, qui est de ne pas savoir demeurer en repos dans une chambre.
BLAISE PASCAL
Philosophe et écrivain

Notre corps, en tout ou en partie, est à la recherche de sensations; ne l'en privons pas. Pour éviter les excès, concentrons-nous sur le plaisir nouveau d'expérimenter un projet, une activité, une aventure. Quand nous tombons dans la compulsion, notre corps réagit; notre intellect, tout comme nos émotions, nous envoit des messages, et le plaisir disparaît. Il est remplacé par un désir de performance, de dépassement, qui met en péril l'assouvissement des autres besoins. Je ne dis pas qu'il est mauvais d'avoir un but et de tout faire pour le réaliser, je dis qu'il faut vivre avant tout. «Vivre, ce n'est pas simplement continuer de respirer. Vivre, c'est comprendre ce plaisir de respirer[5].»

Plus nous serons à l'écoute des différents besoins du corps, plus nous serons aptes à répondre aux situations qui se présentent. Cette attitude nous fera mieux profiter du quotidien et mettra aussi à notre disposition des réserves qui serviront à mieux vivre et aussi à faire face à des événements, des crises ou des situations imprévisibles. Chaque jour nous ramène les mêmes questionnements, et cela ne cessera que si nous trouvons notre équilibre et développons pleinement notre personnalité.

Qui suis-je? Que veux-je vraiment? Est-ce que je continue de subir ce qui me déplaît? Plus les ressources intérieures sont mises à contribution, plus elles sont mises de l'avant, moins ces questions risquent de hanter nos vies. Les réponses viennent naturellement

---

5. CHABOT, Marc, *En finir avec soi*, Montréal, VLB éditeur, 1997, p. 58.

parce qu'elles découlent de choix conscients, elles sont le fruit des prises de conscience de l'âge adulte.

Pour différentes raisons, la plupart des gens sont tellement pris par leur quotidien qu'ils n'ont pas le temps de s'étonner de la vie[6].

—

Trouvez ce dont une personne a le plus peur et vous saurez de quoi sera faite sa prochaine étape de croissance.
CARL GUSTAV JUNG
Psychiatre suisse

—

Pour vous mettre sur la voie, je vous propose de regarder de près votre horaire de la semaine, à la recherche de nouvelles activités. En avez-vous un exemple? Pas même un seul? C'est une situation fréquente dans les milieux de travail: j'ai posé cette même question à un groupe de quatre-vingts employés dans un ministère. Le résultat? Plus de 80 % d'entre eux ont répété les mêmes activités tout au long de la semaine.

Aucune surprise non plus la fin de semaine, tout tourne autour des «ages» (ménage, lavage, magasinage, repassage, nettoyage, jardinage, etc.). N'y aurait-il pas lieu de revoir votre horaire d'activités? J'ai rencontré

---

6. GAARDER, Jostein, *Le monde de Sophie*, Paris, Éditions du Seuil, 1995, p. 33.

chacun des participants pour lui remettre le «graphique» de sa vie au quotidien: une ligne noire qui s'étendait du lundi au vendredi soulignant bien la répétition, l'absence de fantaisie, le manque d'imprévu, comme lorsque le cœur branché à un électrocardiogramme s'arrête, et que les pics marquant l'activité cèdent la place à un trait continu... Je ne pourrai vous dire qu'avoir un horaire répétitif peut engendrer des problèmes de santé ou autres. Là n'est pas la question. La question est cette dimension *répétitive*, voilà mon inquiétude. Comme en fait foi la psychanalyse, «la répétition... c'est la mort... la répétition nous prémunit contre les poussées de la vie individuelle... elle cherche la paix mortifiée d'une société qui a banni la surprise[7]». Et je conclus de cette expérience que les surprises et les imprévus de la vie sont des moments qui nous font découvrir les ressources de notre intimité et constituent des repères libérateurs de cette tendance à vivre seulement ce qui est prévu, connu, conscient. Et j'ajouterai qu'à toutes les occasions où vous saurez vivre une activité nouvelle, un loisir, une fête, une soirée champêtre, une rencontre avec de nouvelles personnes, vous découvrirez un moment opportun de vous abandonner. Il n'est pas nécessaire d'acheter ou de s'abonner... Soyez curieux!

---

7. MOORE, Thomas, *Le soin de l'âme*, Paris, Éditions Flammarion, 1994, p. 147.

―

**Renouvelle-toi complètement chaque jour;
fais-le encore et encore et tous les jours
de ta vie.**
Proverbe chinois

―

Toutefois, il faut garder à l'esprit qu'on ne peut alimenter un seul corps au détriment des autres. Dans un horaire chargé, on doit se préoccuper de chacun des corps, pour mieux gérer sa qualité de vie, et ainsi cumuler des réserves (valeurs, énergies, savoirs, pensées, compromis, fantaisie, imagination) nécessaires pour faire face à des événements, des situations qui mobilisent tout notre corps au point de nous orienter. Qu'il soit question du corps physique (relaxation, exercices physiques adaptés, nutrition), du corps mental (apprendre à apprendre, se préparer à une deuxième carrière, s'insérer dans une formation continue), du corps social (confronter des idées, développer de grandes amitiés), du corps familial (vivre l'intimité, le projet de vie, la responsabilité, l'engagement, l'isolement), du corps culturel (découvrir le monde de l'art, les pratiques expressives artistiques) ou du corps spirituel (explorer l'inconnu, développer ses potentialités, encourager la réflexion, savoir créer des silences), c'est par leur contribution individuelle et collective que nous pouvons mieux espérer vivre en harmonie.

Mon conseil est simple: ne laissons aucun de ces corps nous emporter au-delà du simple plaisir. Évitons le piège des excès. Accordons-nous des pauses et faisons place à un comportement très souple. Pensons toujours que, lorsqu'une situation survient, le corps fait référence aux réserves mises à sa disposition pour y répondre adéquatement. Nous sommes à la croisée des chemins entre ce que nous sommes, ce que nous désirons, ce que nous voulons, ce que nous provoquons, ce que nous subissons. En ce sens, nous devons revoir les moyens d'action dont nous disposons quotidiennement dans notre horaire. La question est de savoir si les choix de vie, les besoins identifiés, les valeurs privilégiées sont en relation avec le type de personne que nous sommes, ou si ces éléments répondent vraiment à nos croyances «réelles», et non seulement à nos intérêts.

—

Un être qui possède une croyance a autant de force que quatre-vingt-dix-neuf êtres qui n'ont que des intérêts.
JOHN STUART MILL
De la liberté

—

Lorsque l'individualité constitue notre projet de vie, quelque chose en nous ne grandit pas, reste «adolescent» et a besoin de «marginalité» ou «d'aventure».

Un peu comme cette femme de trente ans qui, un jour, me faisait part de ce qu'elle appelait une grande inquiétude: elle craignait les réactions de son entourage, conjoint et famille, devant son besoin de sortir, de rencontrer des amis, de se laisser regarder, d'observer, de changer de rôle, de modifier son apparence, de vivre pour laisser courir ses fantaisies, ses fantasmes, ses désirs.

Interrompre le flux des émotions se fait difficilement et, si nous y parvenons, c'est au prix d'une immense fermeture à soi et au monde.

Suivez le guide, Vous. Rendez-vous disponible à votre théâtre de l'imaginaire. Personne ne doit en aucun moment, ou pour quelque raison que ce soit, vous empêcher de vivre ce que le passé ne vous a pas permis de réaliser ou que vous n'étiez tout simplement pas prêt à vivre à ce moment-là. Votre partenaire, vos amis, votre famille et votre entourage ne peuvent vous répondre par la négative ou développer des préjugés à votre égard. Les ancrages établis auprès de nos relations doivent avant tout initier un respect mutuel de ces rêves. «Tout ce qui se produit commence par un rêve.» (Carl Sandburg, *Fumée et Acier*, 1920)

—

Être totalement présent, où qu'on soit.
ERICH FROMM
Avoir ou Être

—

Apprenons à nous voir évoluer dans un film, avec son décor, ses couleurs, ses images, ses parfums, ses costumes, ses personnages, ses complices, ses messages, de façon à vivre à travers tous nos sens et à en partager le contenu, l'essence avec tous ceux et celles qui nous entourent. Avez-vous vu le film *Farinelli* dont l'action se déroule au XVIIe siècle? Par les décors, les maquillages, les couleurs, les costumes, la broderie des mots, nous sommes sous le charme de l'élégance, du rythme et des sons. N'y a-t-il pas un grand film caché à l'intérieur de chacun d'entre nous et qui ne demande qu'à prendre l'affiche? Et que dire du livre de Paulo Coelho, *L'Alchimiste* (1994), qui nous transporte dans cette appropriation pour mieux poursuivre nos rêves? N'est-ce pas à la fois encourageant et difficile de comprendre que la souffrance nous permet aussi de nous rapprocher de nos rêves?

Osez vivre votre aventure intérieure et partagez-la avec ceux qui vous entourent (et ne jugez pas ceux qui hésitent encore...). «La folie en débarrasse à merveille; mais peu de gens comprennent l'immense avantage qu'il y a à ne jamais hésiter et à tout oser[8].»

Maintenant, regardons plus en détail les différentes composantes de l'approche holistique, avec, comme idée première, de faire notre bilan personnel. Il ne s'agit pas de les considérer toutes au même moment, mais seulement de s'arrêter à l'une d'entre elles, d'initier une

---

8. Érasme, *Éloge de la folie*, Éditions Flammarion, Paris, 1964, p. 36.

nouvelle interprétation et, peut-être, une nouvelle direction. N'oubliez pas, une partie de vous est dans l'ombre et apprécierait un brin de courtoisie. *La première personne dont nous devons nous occuper, c'est nous-même.*

CORPS PHYSIQUE

Comment peut-on traduire le corps physique? De fortes émotions surgissent lorsque nous acceptons de l'explorer. Nous sommes interpellés par de nombreuses sources pour intégrer notre corps, cette enveloppe qu'on apprend à connaître, à aimer, à polir, à partager, parce qu'on remarque assez vite que l'image qu'on projette est le premier repère que l'on donne à autrui lors d'une rencontre. Le corps ne doit pas avoir comme objectif ultime l'apparence, car «l'apparence colle à l'être et seule la douleur peut les arracher l'un de l'autre[9]». Par moments, le corps est associé à l'apparence physique, à l'image ou encore à l'intérêt que les autres lui portent. En d'autres occasions, nous l'utilisons pour l'effort, pour socialiser, pour rivaliser, pour dominer ou tout simplement pour fuir.

Quel que soit l'exutoire utilisé, le corps physique est présenté, dans le cadre de la santé holistique, comme une invitation à respirer, à bouger, à le laisser s'exprimer par des gestes, des expressions et des contacts. Bien traiter son corps signifie aussi bien l'alimenter, lui

---

9. WEIL, Simone, *La pesanteur et la grâce*, Paris, Plon, 1988, p. 50.

donner le repos dont il a besoin, tout autant que lui offrir régulièrement la possibilité de se dépenser et de se dépasser dans des activités physiques ayant pour but le maintien d'une bonne santé. L'énergie dépensée peut servir de référence, de mémoire, de canal pour libérer des émotions, des tensions enfouies, des refuges.

Le corps a besoin de sa dose quotidienne de fraîcheur, de sueur, de tendresse, d'adrénaline et d'abandon dont la source se situe dans bien des activités. Le signal de départ est le mot plaisir: chercher à s'appartenir, à se délier de toutes tensions, à se sentir libéré par les battements du cœur qui viennent se greffer aux autres manifestations musculaires pour mieux courtiser les cordes de l'âme.

Nous devons habiter notre corps, en prendre possession. Libérez-vous des tensions par des activités physiques ou encore un simple massage, une randonnée à pied, à bicyclette. Laissez votre corps s'exprimer. Donnez-lui des lieux imprévus, des moments de folie inattendue, un éclat de rire, une valse du matin, un baiser de bonne nuit, une main qui en entrelace une autre pour marcher, une montagne à traverser, des odeurs à respirer, des silences à contempler. Bougez, observez, découvrez... ce sont tous des verbes qui empêchent la sédentarité d'envahir votre quotidien.

—

**On grandit le jour où on rit vraiment
de soi-même pour la première fois.**
ETHEL BARRYMORE
Memories, an Autobiography

—

Un certain discernement doit entrer en ligne de compte lorsqu'il s'agit de laisser son corps physique s'exprimer: il n'est pas nécessaire d'en abuser jusqu'à la douleur, mais simplement de lâcher prise. Il n'est pas nécessaire non plus d'avoir le consentement de ceux qui nous entourent pour savoir si le geste, les vêtements, la posture et le maquillage nous conviennent.

Soyez vous-même! Et si votre vision de la vie passe par celle des autres, prenez un peu de recul, car un malaise profond est à venir.

Planifiez, non, veuillez m'excuser, ne cherchez pas à planifier un horaire, un lieu, un espace précis, que ce soit le matin, le midi ou en soirée, deux jours de suite ou la fin de semaine; le mot d'ordre est: bougez! Faut-il y allouer vingt ou trente minutes? Tout d'abord, commencez et donnez-vous un rythme, une cadence qui vous convient et, si je peux me permettre un conseil, souvenez-vous: ne cherchez pas à adopter le même comportement dans vos loisirs qu'au travail!

Soyez libre d'interrompre ce qui vous ennuie! Variez les plaisirs; leur fréquence, leur durée, leur intensité, tout en tenant compte de vos limites et de vos capacités personnelles.

—

Si nous ne prenons pas soin de notre corps, où allons-nous habiter?
AUTEUR ANONYME

—

Pourquoi les Occidentaux ont-ils «déserté leurs corps»? Nous pourrions interroger l'Histoire. Nous pourrions interroger nos horaires, nos responsabilités, notre ère. Hélas, tout cela n'est que paresse, excuses, maladresses, mais aussi blessures infligées à notre âme. À trop chercher les réponses, nous gaspillons un temps que nous devrions consacrer à respirer, à chercher de nouveaux espaces, à trébucher, à aller nous essouffler dehors. L'absence à notre corps double les risques que les autres, voire le monde médical et les médecines alternatives, aient à s'occuper de nous. Ne remettez pas d'emblée votre corps entre les mains des autres. Soignez-le d'abord par vous-même.

CORPS MENTAL

Gardez-le actif! Lecture, visionnement de films, nouvelle carrière, formation, culture: donnez au corps mental sa possibilité de réagir dans tout ce qu'il apprend, observe et écoute. Le mental doit se recycler dans tout ce qu'il connaît ou croit connaître. Encore une fois, il s'agira d'habiter, de prendre possession, de son esprit cette fois, pour qu'au lieu d'être des spectateurs au théâtre de la vie, nous devenions, au contraire, des acteurs, des personnes qui réfléchissent, qui réagissent, qui questionnent, qui participent.

«Apprendre à penser autrement, réinvestir l'intellectuel sont des conditions nécessaires à un nouvel équilibre du monde et des individus[10].» Reprenons une phrase de Heidegger: «La pensée doit être capable de penser contre elle-même.»; donnons-nous donc les moyens de renverser notre logique, de nous critiquer, de croire à des idées contraires à ce qu'on dit et à ce qu'on pense couramment.

De nos jours, c'est l'école pour la vie. Toutefois, les savoirs ne sont pas seulement dans les universités, les livres, les romans, les essais, les magazines ou autres bouquins de tout acabit, mais aussi sur le terrain! Tout près de nous, le clochard, le spectacle, l'art, le silence, l'inconnu, le voyageur existent aussi pour nous enseigner le sens de la vie. Le mental nous réserve de belles surprises lorsque nous nous laissons emporter vers des aventures imprévisibles.

---

10. ENGELHARD, Philippe, *L'homme mondial*, Paris, Éditions du Seuil, 1996, p. 27.

—

**Le meilleur vaccin contre la maladie mentale
serait de pouvoir et de savoir à volonté
retrouver l'inégalable plaisir de jouer,
d'imaginer, de créer, de rêver comme un enfant.**
GREGOR MENDEL
Fondateur de la génétique

—

Or, l'essence même du corps mental est de refuser une attitude qui consiste à tout savoir. Cette façon de penser conduit inévitablement à vous guider à des cercles fermés où la critique et le doute disparaissent. Or, comme l'explique clairement Friedrich Nicolai: «La critique est la seule compagne qui, tout en dévoilant nos faiblesses, peut en même temps éveiller en nous le désir de nous améliorer[11].» Il n'est pas possible de croire sans douter. Tout comme l'incertitude est une façon de continuer de chercher, de questionner, nous ne pouvons consentir à limiter notre réservoir cérébral à des solutions préfabriquées. «L'équilibre, lui, dépend de notre connaissance de la réalité, laquelle est acceptation d'un inconfort psychique permanent, lui-même acceptation de la conscience[12].»

---

11. GORDON, A. Craig, *The Germans*, New York, A. Meridian Book, 1991, p. 28.
12. SAUL, John, *La civilisation inconsciente*, Paris, Éditions Payot & Rivages, 1997, p. 210.

Une priorité demeure. Permettez à votre corps mental de découvrir les partitions établies par le cerveau. Il n'y a pas qu'une carrière qui vous attend dans une vie; il y a aussi celle qui sommeille en vous, quoique plus artistique, plus créative, qui se libère par les sens. Éveillez en vous cette double intelligence, celle qui s'affranchit par vos mains (peinture, instrument musical, écriture), par vos pieds (danse) et l'autre, quoique plus rationnelle, plus conformiste, le travail intellectuel.

On retrouve dans la sensibilité un exemple à méditer autant qu'un savoir à acquérir. La démarche mentale ne peut être séparée de la route de l'âme. On ne peut isoler le travail intellectuel de celui d'apprendre à se connaître. On ne peut isoler le travail intellectuel de celui d'éveiller l'artiste qui sommeille en nous.

—

Ce qui distingue une intelligence de premier ordre est sa capacité d'avoir deux idées contradictoires en tête et de pouvoir encore fonctionner.
FRANCIS SCOTT FITZGERALD
La Fêlure

—

CORPS SOCIAL

Avant d'établir la portée du corps social, je vous propose cette phrase de Platon: «Sois bon, car chaque personne que tu rencontres livre un rude combat.» Cette phrase, même après 2300 ans, s'applique toujours et devrait faire partie de nos pensées. On peut se demander ce qui est commun à toutes les époques, à toutes les cultures, pour lui donner encore aujourd'hui autant de sens. L'environnement a beaucoup changé et il changera encore, mais l'individu reste le même, ses besoins aussi. Il est important de faire le point régulièrement pour nous assurer que, dans le tumulte de nos vies, nous n'avons pas négligé des aspects de ces mêmes besoins.

—

Laissez le hasard fixer vos rencontres.
Proverbe arabe

—

Que faut-il dire sur les autres individus qui nous regardent? Que faut-il ressentir au contact de leur regard, de leur voix, de leurs perceptions, de leurs pensées, de leurs valeurs, de leurs croyances? Il est bien évident que nous ne pouvons être acceptés et compris par tous et cela, quelles que soient leurs valeurs, leur culture, leur éducation. Une adaptation est nécessaire pour chacun d'entre nous. Ne partons pas avec l'idée que nous nous moquons des autres, alors qu'au contraire, les autres, c'est chacun de nous et une partie de nous. Un effort constant est inévitable pour nous rapprocher de la collectivité. Je ne dis pas de faire comme eux, «rien n'a autant besoin d'être corrigé que les habitudes des autres» (Mark Twain), mais d'avoir de la considération, de l'écoute et de l'attention. D'ailleurs, le changement dans lequel est plongé le monde actuel nous conduit inévitablement vers la compréhension de ce qui nous sépare d'autrui.

Prenons quelques minutes et observons comment se passent une journée de travail, un retour à la maison, une promenade en pleine rue, les regards qui se croisent ou s'évitent dans le métro, l'attente dans un restaurant, et constatons comment notre attention est peu portée vers les autres; comment nous avons recours aux mêmes discours, aux mêmes gestes, aux mêmes attitudes; comment nous vivons séparés des autres, alors qu'au fond, nous pourrions bénéficier de grandes complicités si nous étions tous désireux d'éveiller nos façons de faire, de dire et d'écouter.

—

Qu'on parle de vous, c'est affreux.
Mais il y a une chose pire, qu'on n'en parle pas.
OSCAR WILDE
Phrases et philosophie

—

145

Qui sont les autres? La famille, les enfants, les adolescents, les hommes, les femmes, les voisins, les amis, les collègues de travail, les personnes âgées, les étrangers, les médecins, les médias d'information, les politiciens, les religieux, les intellectuels, les thérapeutes, les éducateurs scolaires, les directeurs, les sans-abri. Ils sont là, en grand nombre, prêts parfois à nous offrir des mots gentils; prêts aussi à nous abandonner à la moindre occasion dès que nos pensées divergent. Encore aujourd'hui, nous sommes contraints de vivre avec des personnes qui veulent prendre plus qu'offrir, de subir des relations d'intérêt basées sur le «combien ça rapporte et pour combien de temps». L'actrice bien connue Jodie Foster a dit ceci: «Votre auto représente ce que vous voudriez que les gens pensent de vous, et votre maison, l'idée que vous vous faites de vous-même.» Alors, je vous propose ceci: mettez-en peu dans ce qui ne parle pas – comme une voiture – et beaucoup dans ce qui parle. Si vous voulez faire de votre maison un véritable théâtre de la vie, laissez entrer odeurs, couleurs, épices, repas, fleurs, images, sons, livres, et soyez libre de les offrir à tous ceux qui viennent. Laissez parler votre demeure. Laissez aussi parler vos émotions lorsque vous êtes en relation avec les autres. Il n'y a rien de plus réel que le contact humain; nous devons nous assurer de son contenu et en faire une priorité dans notre vie. Une bonne partie de nos réponses ou de nos décisions est le résultat des échanges vécus avec tous ceux et celles que nous rencontrons et qui nous invitent à livrer des idées, des pensées et des expériences.

Notre personnalité, pour se réaliser, oscille entre deux tendances: se fondre dans quelqu'un d'autre, c'est notre tendance à l'union; ou promouvoir ce qu'il y a de différent, de distinct en nous, c'est notre tendance à l'action. Ce sont ces impulsions contradictoires qui sous-tendent le développement de notre individualité dans sa globalité.

La frustration que nous ressentons, étant enfants, lorsque nous découvrons que nous sommes distincts de notre mère, est à l'origine de cette tendance à l'union chez tout être humain. C'est elle qui nous pousse à accaparer totalement l'autre, «l'autre» qui devient la source de plaisir et d'amour. Et ce désir, écrit la psychanalyste Edith Jacobson, «ne cesse probablement jamais de jouer un rôle dans notre vie émotionnelle».

Cette identification à l'autre est une forme d'imitation. La capacité de communiquer avec les autres, de sentir ce qu'ils ressentent sans aliéner sa propre réalité, dépend elle aussi de cet élan vers l'union.

Toutefois, son contraire, notre tendance à l'action, qui est le deuxième pôle de notre personnalité, nous pousse à nous différencier, à acquérir notre indépendance, à explorer nos possibilités et à maîtriser notre destinée.

Peut-on vraiment comprendre qu'un jour ou l'autre, nous décidions de nous isoler des autres? Est-ce nécessaire? Dans la mesure où les autres sont là pour nous questionner, nous accompagner dans nos douleurs et nos joies, nous accepter tels que nous sommes, nous respecter sans indifférence, nous trouvons réponse à cette interrogation et nous voilà encouragés à poursuivre ces rencontres.

—

Pour me connaître moi-même, j'ai besoin des autres. Les autres sont indispensables à ma propre existence comme à la connaissance de moi-même.
JEAN-PAUL SARTRE
Philosophe et écrivain

—

Même le conflit avec les autres nous donne une occasion formidable de grandir. «La paix vient non pas de l'absence de conflit, mais de l'aptitude à y faire face.» (Auteur anonyme) Toutefois, le conflit avec soi-même est aussi une occasion d'aller voir à l'intérieur de soi pour simplement avoir le loisir de se faire plaisir. «Ce n'est donc pas forcément l'Homme dont la réussite sociale est reconnue qui est le meilleur témoin de la condition humaine, mais celui qui a le courage de s'avouer ses conflits intérieurs[13].» Plus tôt une personne se donne ce cadeau précieux, celui *d'avouer ses*

---

13. ARTAUD, Gérard, *L'adulte en quête de son identité*, Ottawa, P.U.O., 1985, p. 121-122.

148

faiblesses, plus tôt elle s'autorise à laisser grandir ses relations sociales et moins elle risque de faire entrave à sa santé mentale.

Un peu comme lorsqu'on rencontre une femme ou un homme, le risque n'est pas seulement de se laisser conquérir, mais bien de se voir confronté à ses propres conflits intérieurs, ses envies, ses craintes, ses faiblesses et ses peurs. Il ne peut en aucun moment exister de relation sans la souffrance de chacun. Il ne peut être question de rencontrer une personne sans histoire, sans problèmes. Bien au contraire, il s'agit de s'accompagner dans l'exploration de nos joies, de nos peines et de regarder ensemble si nous pouvons apprendre à vivre une complicité à deux.

Nous assistons aujourd'hui à un bouleversement de l'image traditionnelle de la personne, trop longtemps masquée par un idéal de réussite sociale qui, en s'imposant à l'individu, tente de faire taire son débat intérieur. La société occidentale nous contraint à agir avec une multitude de personnalités différentes, ce qui conduit à masquer nos véritables besoins. Plusieurs d'entre nous établissent des liens sociaux artificiels basés sur des résonances telles que: «Qu'est-ce que les autres vont penser?» «Qu'as-tu fait pour moi dernièrement?» «Quelle occupation avez-vous dans la vie?» «Dans quel quartier demeurez-vous?» Or, à travers ces énoncés, nous pouvons difficilement faire évoluer des relations sociales strictement basées sur l'apparence. Les apparences sont devenues le laissez-passer de bien des relations, ainsi que la marque de commerce de bien des douleurs. Un temps de réflexion s'impose à chacun d'entre nous dans la composition des liens humains que nous établissons.

—

**En Asie, si on obtient le respect d'une personne, c'est pour la vie.
En Amérique, on demande toujours:
«Qu'as-tu fait pour moi dernièrement?»**
FRANÇOIS JULIEN
*La propension des choses: Pour une histoire
de l'efficacité en Chine*

—

Différentes forces conduisent les gens vers le changement. L'une d'elles est à l'œuvre quand nous voulons ou désirons quelque chose de plus, de mieux ou de différent de ce que nous possédons déjà. Une autre force intervient quand nous craignons de perdre une chose à laquelle nous tenons profondément. Une troisième, quand nous nous trouvons dans une situation ou des circonstances qui nous sont suffisamment inhabituelles pour mettre en jeu notre intégrité physique ou psychologique. Dans chacune de ces situations, les émotions sont profondément sollicitées et souvent cette tension entraîne une série de changements. Outre les besoins physiologiques et matériels de base que les adultes se contentent de «maîtriser» à un certain niveau, deux conditions inhérentes à la vie humaine et sociale occupent une place considérable dans le «sentir-penser-agir» d'une personne: il s'agit de l'intégrité dans l'amour et dans les relations sociales. Une fois une certaine sécurité acquise (et elle est «acquise» à des degrés et par des moyens différents selon les gens, leurs attentes et leur sensibilité), elle constitue une base qui permet dès lors à l'adulte de saisir les occasions réelles ou virtuelles d'enrichir sa vie ou de développer ses capacités de multiples façons. L'individu peut ainsi être amené, sous son impulsion, à se dépasser, à aller au bout de ses possibilités. «Quand nous pouvons voir notre histoire à mesure que nous reprenons nos humeurs et nos comportements compulsifs, nous pouvons trouver comment y faire face plus librement et avec moins de détresse[14].»

—

**Les personnes qui ont un bon
«confident» résistent mieux à l'adversité
que celles qui n'en ont pas.
WEISBORD**

—

_____

14. MOORE, Thomas, *Le soin de l'âme*, Paris, Éditions Flammarion, 1994, p. 13.

CORPS ET ÉMOTIONS

Nous pourrions introduire cette section en demandant à la société occidentale: pourquoi? Pourquoi avoir imposé à l'individu des règles destinées à retenir et réprimer ce besoin si ponctuel de libérer ses émotions? Serait-ce dû au mode rationnel qui convient mieux aux structures de notre société? Isoler nos émotions, c'est étouffer la vie. Comme une corde qui nous enserre le cou un peu plus chaque jour, lorsque nous vivons selon les convenances et intérêts de ceux qui nous manœuvrent dans cette société où règnent le camouflage et la manipulation.

Petite histoire!

Vous savez pourquoi les hommes portent des cravates?... Pour empêcher les émotions de monter. Cela demande réflexion, n'est-ce pas?

Les parcours de la vie nous mènent toujours vers des moments de grande émotivité. Nous oublions parfois de les décrire, d'en parler à la personne concernée, de les vivre avec nos sens. Nous préférons attendre, en parler à d'autres ou encore simplement nous réfugier dans des activités, des habitudes de consommation, des loisirs ou avec des individus qui pourront temporairement nous divertir. Ne jugeons pas le moyen utilisé, mais considérons plutôt notre valeur par rapport au but visé. Une émotion doit s'adresser à sa source, c'est-à-dire favoriser une démarche personnelle de réflexion.

Elle est parfois sculptée de l'intérieur, mais nous n'osons pas en faire une peinture de l'extérieur ou l'explorer pour la vivre pleinement. Un peu comme l'amour, lorsque nous nous demandons comment le dire, comment le rafraîchir, comment le poursuivre, comment l'habiter, comment le rendre sans artifice. «L'amour à dix-huit ans est une volonté de se découvrir en écoutant son écho dans les mots d'un autre[15].» Que devient l'amour à trente ou quarante ans? L'amour immature dit: «Je t'aime, parce que j'ai besoin de toi.» L'amour mature dit: «J'ai besoin de toi parce que je t'aime.» (Erich Fromm, *L'Art d'aimer*, 1983) «L'amour est notre meilleur médecin», affirme le Dr Dean Ornish dans *Love and Survival* (1998). «Aimer, c'est se libérer de la peur», souligne Gerald G. Jampolsky. «Dans toutes les fenêtres amoureuses brûle une rose.» (Andrée Christensen, *Lèvres d'aube*, 1992) Nous ne pouvons refuser l'émotion, car «le refus de faire face à l'émotion est le fondement de l'anxiété qui caractérise notre époque. Il est le trait dominant de ce qu'on a appelé l'effondrement nerveux de notre époque[16].»

---

15. SHEEHY, Gail, *Les passages de la vie*, Boucherville, Éditions de Mortagne, 1983, p. 65.
16. HILLMAN, James, *La beauté de Psyché*, Montréal, Éditions Le Jour, 1993, p. 109.

Voici l'histoire:

Dans une entreprise de production de pâte et papier, un employé menaçait régulièrement plusieurs collègues par des injures et des attitudes particulièrement agressives, causant ainsi une grande anxiété chez plusieurs membres du personnel. Mon intervention a été brève. «Que faites-vous de vos émotions ressenties?» La question lui est apparue entière et un grand silence a pris place. On avait tous les deux compris le malaise, l'impossibilité de dire, de traduire sans blesser, sans rompre l'équilibre.

—

Pouvoir se confier, c'est multiplier par deux son espérance de vie.
DR BERNIE SIEGEL

—

Plus nous attendons pour exprimer ce que nous ressentons, plus nous accumulons une charge «d'agressivité». Nos silences et nos refoulements finissent souvent par s'éclater dans des voies inadéquates, souvent menaçants, toujours douloureux. Quand les gens refoulent leurs pensées ou leurs pulsions afin qu'elles n'atteignent pas leur conscience, ils créent en eux des tensions ou des contractions. C'est ce que Wilhelm Reich, qui fut le premier à intégrer la notion de travail corporel en psychothérapie, appelait «le gel des émotions». «Sors de ta tête et reprends contact avec la

154

réalité», ordonne Fritz Perls, le fondateur de la thérapie par la Gestalt (thérapie mobilisant les ressources de l'individu afin de rendre conscientes toutes ses contradictions). Voilà le premier pas pour reprendre contact avec la réalité et retracer les événements qui conduisent à des comportements inadaptés.

Nous parlons d'émotions refoulées, transformées, banalisées, de comportements visant à sortir nos émotions de nos vies; mais en cherchant à les nier ainsi, nous ne faisons que reporter à plus tard la confrontation. *Malgré les apparences, nous ne vivons pas dans un monde insensible, nous vivons dans un monde qui a peur d'être sensible, c'est différent.* La sensibilité a-t-elle été remplacée par la rationalité? Comme il faut avoir le courage de ses idées, il faut aussi avoir le courage de ses émotions.

Nous vivons, de nos jours, une véritable hémorragie émotionnelle. Les émotions nous courent après comme pour sauver nos vies. Les malaises individuels tout comme les malaises de toute une société nous convoquent à un tribunal de réflexion, de courage et de profonds engagements. Nous ne pouvons plus fuir les émotions. Nous devons les affronter là où elles ont le désir de s'exprimer. Si l'adulte peut faire l'expérience de ses désirs, c'est qu'il aura la possibilité de les intégrer à un degré de conscience plus élevé. Gérard Artaud (*L'adulte en quête de son identité*, 1985) nous invite à redécouvrir ces nouvelles valeurs, le désir de nous ouvrir à la voix intérieure de nos émotions, l'engagement dans cette poussée vers les potentialités inépuisables de notre être qui demandent sans cesse à s'actualiser.

Dans la vie, nous sommes tellement envahis par des contraintes de temps, de structure, d'espace, que le cerveau paniqué s'installe là où il a l'habitude de vivre et y stagne; nous agonisons dans un parcours où les règles sont établies d'avance. Nous avons trop souvent tendance à oublier qu'un des deux hémisphères du cerveau n'aspire qu'à être dérangé, qu'à rencontrer de nouvelles personnes, qu'à voyager, qu'à être inspiré par d'autres couleurs de la vie, qu'à faire face à l'inconnu, qu'à mobiliser d'autres sens de notre corps, qu'à vivre de nouvelles aventures, qu'à contempler la nature et une symphonie de sons et d'odeurs qui nous poursuivent sans cesse. Vivre pleinement, c'est donc aussi avoir recours à toutes les facettes du cerveau en créant ainsi un remède efficace pour faire face aux événements de la vie quotidienne.

L'émotion ressentie est un privilège où nos sens sont invités à s'exprimer. Ce n'est ni un hasard ni une chance. «Le hasard sert l'esprit qui s'y est préparé, laissant entendre que même la chance doit se mériter.» (Pasteur)

Pourtant nous ne nous sentons pas toujours bien avec nos émotions; très souvent, nous nous épuisons à satisfaire des désirs qui ne sont pas toujours les nôtres, ou nous employons des «façades», des «je devrais», des «tu devrais», des «il faut». Par moments, nous cherchons tellement à plaire que nous finissons par oublier l'essence même de ce que nous désirons vraiment. «Dans le domaine des émotions, l'homme occidental, habitué à manier les catégories rationnelles, est comme

156

un analphabète. Il lui faut apprendre un nouveau langage comme l'enfant qui apprend à parler[17].»

L'adulte n'a pas qu'à apprendre ou réapprendre un langage nouveau, mais aussi à revoir ses attitudes. Partout où il y avait de la proximité, de l'élégance, de la fluidité, aujourd'hui tout est figé. Presque plus de contacts, presque plus d'intimité, nous devenons des mendiants de tendresse, de caresses et d'attention. *Vous croyez peut-être que les mendiants se retrouvent seulement chez les sans-abri. Détrompez-vous! Les plus grands mendiants, c'est vous et moi qui, chaque matin, sommes si pressés que nous en oublions d'effleurer les espaces de notre intimité.* Des blessures marquent le corps de chacun d'entre nous, simplement parce que nous cessons de réclamer notre dose d'affection. Il nous faut développer une certaine fluidité, une distance qui permet de rester nous-mêmes.

—

Attention de se nourrir d'oublis.
FRIEDRICH NIETZSCHE
Considérations inactuelles

—

17. ARTAUD, Gérard, *L'adulte en quête de son identité*, Ottawa, P.U.O., 1985, p. 76.

Tellement de souffrances ponctuent le monde des relations affectives, comme autant de cris camouflés dans le corps de plusieurs d'entre nous, que se réfugier dans les larmes, nos seules références, devient notre ultime asile. «Connaître le poids de chaque larme.» (Michel Muir, *L'Impossible Désert*, 1992) Se résigner à des fuites aussi invraisemblables qu'inimaginables est devenu, pour plusieurs, notre seul recours. La douleur de savoir que l'être aimé ne reviendra pas creuse un gouffre immense à l'intérieur de nous, tout comme l'oubli de prendre soin de notre émotivité pour ne s'occuper que des apparences fait de nous des êtres isolés.

L'émotion s'empare de celui qui ne s'y prépare pas. Comment se préparer? Que dire, que faire? Laissons le temps...

> Avec le temps, avec le temps va tout s'en va.
> On oublie le visage et l'on oublie la voix,
> le cœur quand ça bat plus
> c'est pas la peine d'aller chercher plus loin
> Faut laisser faire et c'est très bien...

> Léo Ferré, *Avec le temps*

Nous semblons nous protéger contre l'émotion pour éviter que la souffrance efface toutes les traces de notre identité. Nous nous cachons par moments, dans notre propre intérêt d'abord pour mieux nous rapprocher, pour mieux vivre nos propres émotions, ensuite pour l'autre, par respect de ce qu'il est.

«Pendant des mois, je me suis promenée en pensant: je voudrais que quelqu'un m'aime. Je voudrais que quelqu'un tombe en amour avec moi. Pas juste quelqu'un ou n'importe qui, mais un homme. Un homme qui laisserait mes lèvres s'égarer sur sa peau. Un homme qui m'ouvrirait ses bras chauds[18].»

De même, la joie et la tristesse sont deux moments d'émotion nécessaires à notre plein épanouissement. Comme le dit si bien Khalil Gibran dans *Le Prophète* (1956): «Lorsque vous êtes joyeux, regardez profondément en votre cœur et vous trouverez que ce qui vous apporte de la joie n'est autre que ce qui vous a donné de la tristesse. Lorsque vous êtes triste, regardez à nouveau en votre cœur, et vous verrez qu'en vérité vous pleurez pour ce qui fut votre délice. Ensemble elles viennent, et quand l'une vient s'asseoir seule avec vous à votre table, rappelez-vous que l'autre dort sur votre lit[19].»

Ne devons-nous pas apprendre à apprivoiser la solitude pour mieux décrire nos émotions?

Voici ma réflexion:

Elle s'empare de nous comme un second souffle. La tête sert de récepteur pour intercepter chaque vibration, chaque phrase. Les vaisseaux sanguins par

---

18. BALZANO, Flora, *Soigne ta chute*, Montréal, Éditions XYZ, 1992, p. 67.
19. GIBRAN, Khalil, *Le Prophète*, Paris, Éditions Casterman, 1956, p. 39-40.

moments se contractent, frissonnent mais aussi s'abandonnent. On interpelle toute présence pour s'abreuver, pour briser le silence. On refait le tour de sa vie. On examine chaque petit détail. Elle nous convoque à une plaidoirie avec les parties de soi laissées dans l'ombre. Les partenaires de la solitude sont tantôt les larmes, les souvenirs, les liens avec les objets, le passé, le père absent, les nuits froides... une véritable emprise de l'âme.

Comment y faire face? Nous nous croyons tellement démunis que nous cherchons toutes les excuses pour nous abandonner et du même coup nous y abandonner. Nous cherchons à combler un vide plutôt qu'à l'écouter, à l'observer et à composer avec lui. La solitude nous sert de guide pour laisser exprimer les pourquoi de la vie, les évasions, les blessures, les départs. J'ai compris que la solitude établit les limites, qu'elle oriente les intentions, qu'elle remet de l'ordre, qu'elle juxtapose des faits, des gestes et des mots, qu'elle augmente les perceptions d'événements à travers un recueil d'émotions.

—

En fait ce n'est pas la solitude qui est mal, c'est l'isolement.
ROBERT BLONDIN
Sept Degrés de Solitude Ouest

—

160

Quelqu'un m'a appris toute la signification que prend la solitude au fil des années.

Voici l'histoire:

Ma mère m'a confié ses états d'âme de vivre sans partenaire, sans complice, un peu comme dans l'obscurité. Après la mort de mon père, elle a en quelque sorte cessé de vivre; rien ne pouvait atténuer sa douleur. Depuis ce temps, elle ne cesse de déménager d'un lieu à l'autre; les émotions ressenties lui rappellent le passé, des pensées, des silences qui fabriquent des nœuds dans tout son corps. La noirceur se colle à elle comme un partenaire de vie, laissant peu de place à la lumière. Seules les larmes lui autorisent un peu de soulagement et de détente. La solitude est devenue pour elle un gardien, un refuge, un modèle d'attention par lequel ceux et celles qui l'aiment consentent à l'accompagner. Pourquoi? Parce que les moyens mis à sa disposition pour faire face à la mort, à la solitude, à l'abandon ne trouvent pas preneur. Sa réserve d'énergie s'est épuisée à travers le temps, à travers son refus de vivre pleinement. Elle a d'abord habité cette phase intermédiaire qu'Erikson appelle «générativité» (espoirs, rêves, apprendre, se dévouer à une cause, contribuer au futur) et «stagnation» (sentiment chronique d'ennui, de vide); elle n'a pas consenti à franchir le pont entre les deux. Maintenant, elle fait face à cette période qu'Erikson appelle «intégrité» et «désespoir» où le même phénomène se poursuit.

—

**La solitude en effet est une amante
cruelle mais fidèle
et droite. Elle ne vous ment jamais.
Si vous la videz à fond,
elle vous préserve de vous mentir à vous-même.
Sur des bases de solitude, on peut
construire un monde.**
FRANÇOIS HERTEL
Vers une sagesse

—

Au fond, nous, hommes et femmes, nous nous retrouvons bien souvent dans la solitude la plus totale même en présence de proches, de collègues de travail, de membres de la famille, d'amis ou lors de grandes fêtes. Les raisons de cette solitude sont garantes de divers besoins, ceux de plaire, de contrôler, de performer, de réintroduire l'enfant en soi. Plusieurs d'entre nous rivalisent ou fuient pour ne pas sombrer dans la solitude, de peur que les réponses envahissent notre corps tout entier et nous plongent ainsi dans le royaume des symptômes. L'émotion est parfois tellement vive que la fuite semble la porte de sortie la plus invitante même si son résultat n'est nul autre qu'un tampon. La fuite par la consommation (exercices physiques, alcool, médicaments, pornographie, magazines, sexualité) diminue les tensions ressenties, mais développe des «patterns» marginaux ou déformés qui anéantissent l'émotion proprement dite et les réflexions nécessaires. *La peur d'être seul, la peur de ne pas être seul.*

Voici l'histoire:

Une femme, dans la fin de la trentaine, me raconte comment elle a été «violée» dans son corps, dans ses émotions et dans son âme. Son conjoint l'a battue pendant plusieurs années pour finalement lui laisser des traces si profondes qu'elle ne pouvait croire qu'une prochaine relation serait possible. La peur s'est insérée en elle, tel un volcan tantôt en éruption, tantôt éteint. La peur est devenue telle qu'elle a fini par ne plus croire en elle-même. Les mots, les regards, les attentions et les intentions lui semblent autant de mensonges, de convoitises, de manipulations. Les bras d'un homme lui donnent la chair de poule car, pour elle, ces bras sont comme un ordre de rester là, sans rien dire.

Mais au même moment, les bras étrangers lui paraissent si confortables, si protecteurs qu'elle voudrait seulement s'enlacer et se laisser bercer de cette douceur. Elle dit qu'avec le temps peut-être, elle aimerait que ce passé s'efface comme un mauvais rêve et goûter à la vie, à l'amour, à la confiance et à la complicité. Par-dessus tout, elle en arrive à croire que c'est possible de vivre à deux et de faire confiance à l'autre. Elle a compris qu'il s'agit, par moments, de replacer la situation dans son contexte, de réapprendre à se pardonner et de poursuivre la route de la confiance.

Cette femme a été privée de ses repères, dépossédée de ses richesses, s'est perdue à elle-même. Une impression de vide s'est installée. Elle a su toutefois en faire une aventure de croissance intérieure. Outre l'humiliation, il lui a fallu vaincre sa peur.

—

Toute maturation passe par une humiliation.
FRANÇOISE DOLTO
Psychanalyste française

—

La plupart d'entre nous passent leur vie à essayer de combler des besoins et des attentes, alors qu'il suffit d'établir un contact avec notre corps et nos émotions pour mieux reconnaître nos vrais besoins et traverser les épisodes de la vie en harmonie avec nos rêves et nos doutes.

Or, choisir de naître à soi-même est sans doute la séparation la plus cruciale. Acceptons d'apprendre nos limites, c'est là un chapitre important dans l'histoire de «grandir». L'émotion n'est donc pas un processus solitaire, mais relationnel. Voilà toute la question. L'émotion suppose une histoire, une rencontre, un désir, une peine, un rêve, un sentiment, un choc; de là découlent les frissons de la vie, les pleurs, les crises, les joies et les renoncements. L'émotion est le moteur de la vie.

CORPS FAMILIAL – CORPS ET INTIMITÉ

—

**Aucune famille ne peut accrocher
cet écriteau à la porte
de sa maison: Ici, nous n'avons aucun problème.**
Proverbe chinois

—

Cette relation établie avec l'autre, cet attachement profond consenti pour vivre auprès de l'être aimé, cette
rencontre entre deux êtres différents avec qui nous
sommes liés intimement naît dans la trame d'un sentiment qui évolue. Le corps familial dont il est question
dans cette section n'est pas seulement attribué à
l'amour entre un homme et une femme, mais aussi
entre deux femmes, entre deux hommes et aussi cet
amour comme célibataire qu'on voudrait tant partager
tout en jugeant qu'il est plus prudent de vivre seul.

Le corps familial est présenté dans ce chapitre pour
dévoiler de nouveaux moyens, de nouvelles envies de
faire, de dire et de traduire nos émotions, nos envies,
nos refuges.

Nombreux sont les milieux qui nous convoquent à
un tribunal de préjugés, d'indifférences et d'oublis.
Malgré nos différences, il apparaît de plus en plus évident que nous avons une préoccupation qui nous est
commune, soit celle d'aimer et d'être aimé.

«À trop vouloir demeurer l'amant de sa femme, il n'avait pas su devenir son époux[20].» Pourquoi? C'est comme si nous voulions seulement être présents pour ce qui peut nous satisfaire. C'est comme si nous cherchions toujours ce qui nous manque.

—

La personne humaine ne donne que de son manque.
JEAN CARDONNEL
L'insurrection chrétienne

—

Comment faire pour aimer? Il devient urgent d'abandonner les mille et une occupations artificielles qui empêchent le cœur de s'exprimer. Quittons aussi ce que les autres nous proposent et tentons par nous-mêmes de rendre une mobilité à nos sens. «Remettre entre nous cette distance qui, parfois, permet au désir de renaître[21].» Cessons de faire de nous des êtres prévisibles, prudents et distants. Arrêtons d'avouer des rêves, vivons-les! Mettons l'accent sur les choses simples! Créons une attitude de compromis! Agissons de façon à ne pas être dépendants! Guérissons-nous par les petites attentions! Nourrissons-nous par les regards! Cessons de dire non

---

20. JARDIN, Alexandre, *L'île des gauchers*, Paris, Éditions Gallimard, 1995, p. 11.
21. JARDIN, Alexandre, *L'île des gauchers*, Paris, Éditions Gallimard, 1995, p. 63.

quand l'autre attend pour danser, pour renouer avec nos désirs, pour nous laisser aller à nos folies! Reconnaissons nos envies et affirmons-les courageusement! Réintroduisons l'enfant, l'adolescent dans notre corps d'adulte! Comprenons avec le cœur! Laissons le parfum nous emporter plus loin que l'odeur! Cessons parfois de parler et déposons nos mains aux endroits meurtris par l'absence! Seule la tendresse dissipe les soupçons! «Le besoin de tendresse humaine n'a pas d'âge.» (Jean-François Somain, *Dernier départ*, 1989) Introduisons le silence pour mieux capter la respiration de l'autre! Prenons garde d'oublier! Apprenons à rêver ensemble! «Ce que l'on fait par contrainte, écrit Kant, on ne le fait pas par amour[22].»

—

Essayez de me raconter qui vous êtes.
ALESSANDRO BARICCO
Soie

—

Les gens seuls verront l'importance de se rappeler que, dans leurs loisirs personnels, l'intimité est essentielle à l'âme. Que rien ne peut remplacer ce besoin intime de recevoir de l'affection, quelle que soit notre orientation sexuelle. L'intimité se façonne par notre capacité à mobiliser nos sens pour le plaisir.

---

22. KANT, cité dans COMPTE-SPONVILLE, André, *Petit traité des grandes vertus*, Paris, Éditions P.U.F., 1995, p. 294.

L'amour, «c'est aussi un mot qui ment à longueur de journée et ce mensonge est accepté, la larme à l'œil, sans discussion, par tous les hommes[23].» Que dire de cette affirmation? L'accepter ou la renier? Tout compte fait, le mensonge se traduit par un mélange d'insatisfaction, de soumission, de dominance, de convoitise qui s'infiltre dans la condition humaine comme un outrage à la vertu qu'on appelle la fidélité. Hélas, elle accompagne les hommes et les femmes dans le quotidien de leurs envies, de leurs doutes, de leurs incertitudes. «Même si le soin de l'âme ne cherche pas à changer, à réparer, à ajuster, à améliorer, nous devons trouver le moyen de vivre avec nos sentiments troublants, comme la jalousie et l'envie[24].»

—

Au fond, il n'existe pas d'intimité entre les sexes, ni chez les gens d'un même sexe, parce que la plupart des êtres n'ont pas d'intimité avec eux-mêmes, c'est-à-dire qu'ils n'ont pas de «rapport vivant» avec ce qui se passe en eux-mêmes.
GUY CORNEAU
L'amour en guerre

—

23. LABORIT, Henri, *Éloge de la fuite*, Paris, Éditions Robert Laffont, 1976, p. 18.
24. MOORE, Thomas, *Le soin de l'âme*, Paris, Éditions Flammarion, 1994, p. 113.

Amour, désir et manque sont-ils alors synonymes? Ne faut-il pas rire et pleurer devant cette constatation, que pour vivre l'intimité, il faut aussi s'armer de son absence? De la grande souffrance de l'amour, tant que le manque domine. Alors, dans l'amour, ne serions-nous pas tous un peu isolés? Peut-être sommes-nous si peu éloignés que l'un des plus beaux titres de poésie est celui de Paul Éluard: «l'Amour la solitude, ils ne sont même pas séparées par une virgule...» Pour citer Christian Bobin, «l'amour la solitude sont comme les deux yeux d'un même visage. Ce n'est pas séparé, et ce n'est pas séparable.»

Préserver sa solitude, sa distance, est un complément nécessaire pour maintenir une réciprocité dans l'intimité entre deux êtres. Le contraire de l'amour, c'est la haine; ces deux sentiments sont intimement liés. En les reconnaissant, nous sommes déjà avertis de leur fragilité. Tout n'est pas humain dans l'humain.

Plus important que le changement alimentaire ou l'arrêt du tabagisme, l'amour est le facteur numéro un de notre état de santé. C'est ce qu'affirme le docteur Dean Ornish, études à l'appui. *Mais alors, à quoi peut-on attribuer notre manque d'attention quasi permanent à l'amour?* Les réponses sont nombreuses, les solutions aussi. «Il nous faut peu de mots pour exprimer l'essentiel; il nous faut tous les mots pour le rendre réel.» (Paul Éluard) Dans cette phrase, nous voyons un point de départ essentiel vers cet élan de complicité pour entreprendre une relation à deux.

«L'amour n'est pas une chose simple. J'ai dit en commençant qu'il n'était de soi ni beau ni laid, mais que, pratiqué honnêtement, il était beau, malhonnêtement, laid[25].»

**L'amour qui s'explique n'est pas l'amour.
Il lui faut, pour être, sauter des principes
et nous aimons précisément parce que
nous ne savons pas pourquoi.**
JEAN ÉTHIER-BLAIS
Le manteau de Ruban Dario

Aujourd'hui, il faut faire rire, séduire avec humour, par la réciprocité des sentiments, bien choisir ses mots, s'ouvrir à l'autre, accepter un désir de proximité, reconnaître l'autonomie féminine. «L'amour est à réinventer.», disait Rimbaud. Les femmes disent aux hommes: «Cessez de fuir, exprimez vos émotions.» Les hommes disent aux femmes: «Je suis occupé.» Fini le conformisme, vivez les imprévus, les surprises, les mystères, les rires et les vertiges.

---

25. PLATON, *Le Banquet*, Éditions Flammarion, Paris, 1992, p. 47.

Voici ma réflexion:

Quel est le plus grand défi pour la femme dans un couple? Comment soutenir et interpréter correctement un homme silencieux? Quel est le plus grand besoin pour l'homme dans un couple? Se sentir encouragé. Il aime savoir qu'on a besoin de lui, sinon, il retourne dans ses vieilles habitudes. L'homme supporte mal la critique. Et la femme? Ses plus grands besoins sont: se sentir aimée; voir ses sentiments validés; dire toute la vérité et ne pas avoir à demander. La femme supporte mal le silence.

Messieurs, les femmes ont compris nos manœuvres d'approche, notre plaisir de l'aventure, notre goût du renouvellement ou de la conquête, notre excitation du moment ou simplement notre besoin de vivre une expérience. Rien de comparable chez la femme. L'engagement sentimental, la complicité, l'humour, la générosité émotive sont à l'ordre du jour. Dans les attentes comme dans les pratiques, les hommes et les femmes ne disposent pas des mêmes moyens pour conduire l'univers de la séduction.

**On n'est pas fait pour vivre seul
Mais on ne peut pas aimer n'importe qui
Il faut trouver celle ou celui
Avec qui on serait
Aussi bien que tout seul
LUC PLAMONDON**
Parolier

Que nous soyons en manque de confidences ou que nous cherchions à comprendre les silences, tout cela est une partie de l'amour qui cherche à se clarifier. Comme disait James Hillman dans *La beauté de Psyché* (1993): «Nous évoluons vers la transparence.» Pourtant, elles sont là, les zones sombres, les erreurs, les hontes, les confusions de l'adulte, cachées sous la banalité des mots quotidiens: «Bonjour! Comment allez-vous? Heureux de vous rencontrer!» Ils sont bien là aussi, nos mensonges, nos tendances égoïstes, nos illusions.

L'authenticité est devenue un billet d'entrée non seulement pour rencontrer, mais espérer demeurer en relation avec l'autre sur des bases un peu plus sincères. C'est à souhaiter que «les nouvelles attitudes masculines ne traduisent pas la banqueroute de l'identité virile ou l'angoisse envers les femmes, mais l'avancée de l'égalisation des conditions des deux genres dans le domaine de la vie amoureuse[26]».

---

26. LIPOVETSKY, Gilles, *La troisième femme*, Paris, Éditions Gallimard, 1997, p. 61.

—

**Le secret du bonheur dans la famille,
c'est de triompher de petits
malheurs ensemble.**
BORIS CYRULNIK
Psychiatre

—

CORPS CULTUREL

Apprendre à devenir de grands touristes, de grands explorateurs dans notre propre patelin, c'est essentiel. Pour citer Hannah Arendt: «La disposition à partager le monde avec d'autres hommes[27].» C'est la mondialisation du moi; ce n'est plus une mentalité restreinte, mais plutôt une aptitude à se transporter en pensées vers d'autres points de vue, c'est nourrir notre curiosité auprès d'autres générations, observer d'autres coutumes et nous approprier d'autres lieux.

Le corps culturel, c'est parfaire notre éducation, c'est se donner une autre forme d'intelligence, celle de comprendre d'autres types de cultures. C'est aussi s'ouvrir en profondeur à certaines vérités qui, autrement, risqueraient de nous échapper complètement. Cette ouverture peut ensuite conduire vers de nouvelles visions, de nouveaux défis et de nouvelles réponses à nos préoccupations.

---

27. ARENDT, Hannah, *De l'humanité dans de sombres temps*, Paris, Éditions Gallimard, 1986, p. 35.

—

Nous devons désapprendre les choses qui nous empêchent de percevoir la vérité profonde.
NICOLAS DE CUSE

—

Plus encore, développons ce besoin de communiquer dans cet espace culturel occidental où les individus ne semblent plus en mesure d'échanger la parole. De la télévision à Internet, nous mesurons le chemin virtuellement parcouru, même si le dialogue des cultures, malgré le souhait que certains en aient, n'est pas encore tout à fait commencé. Faut-il voir alors dans ces nouvelles voies de l'information la preuve que les Occidentaux cherchent à renouer entre eux et à sortir de l'isolement où la société moderne les a jetés? Jadis, la possession d'un téléviseur et d'une automobile conférait un statut; aujourd'hui, le nouveau luxe est de ne pas avoir besoin de véhicule et de ne pas dépendre de la télévision.

Une certaine cohésion culturelle et sociale, jumelée à la confiance, à la liberté d'ouverture, tout cela constitue des facteurs décisifs de progrès et de développement. Une logique de réciprocité, de solidarité et d'exemplarité devient désormais un passage obligé dans cette volonté de reconstruire notre identité culturelle.

Apprendre à penser autrement la culture, réinvestir dans les rapports sociaux sont des conditions nécessaires à un nouvel équilibre du monde et des individus.

Il est bon de refuser les jugements de valeur quand nous comparons différentes cultures. Les vertus sociales, y compris l'honnêteté, la coopération, le souci d'autrui, sont décisives pour inculquer les vertus individuelles.

CORPS SPIRITUEL

Avant nous, il y eut l'ère des sacrifices et des manières de penser qui nous ont conduits à établir des évidences de la vie. Derrière toutes ces transformations et oppositions de la nature humaine, nous en sommes venus à dire que le monde de la rationalité a pris une place considérable dans l'explication de l'évolution. Socrate a dit: «La plus intelligente est celle qui sait qu'elle ne sait pas.» Aristote ajoute: «Le plus haut degré de réalité est ce que nous percevons avec nos sens.»

—

**L'idée même du chemin spirituel repose
sur la conviction qu'il est possible de changer.**
ARNAUD DESJARDINS
Regards sages sur un monde fou

—

Nos convictions humaines ont poursuivi des chemins opposés mais, à certains moments dans l'Histoire, elles se sont croisées. Elles nous relatent des faits et nous fournissent des explications quant aux attitudes et comportements des individus.

Coupé de ses sens, l'humain, aujourd'hui, nous apparaît comme dans un jeu vidéo où les personnages se battent, meurent et disparaissent, sans plus.

Insaisissable, intemporel, invisible, inconnu, voilà autant de mots pour tenter de cerner un peu mieux le corps spirituel. Dans notre société très structurée, organisée, il est très difficile de faire comprendre ce que nous ne pouvons saisir, voir, toucher. Toujours à la recherche d'un résultat tangible, nous n'osons investir dans quoi que ce soit où nous ne pourrons discerner de notion de gains et bénéfices.

Enfant, la spiritualité fait partie intégrante de notre quotidien parce que nous vivons l'innocence. À l'adolescence, nous cherchons à la protéger par nos contradictions, nos contraires et nos folies. À peine avons-nous atteint l'âge adulte que déjà nous sommes envahis par des règles, des responsabilités et des contraintes qui font de nous des somnambules, des robots, et nous finissons par trahir notre imaginaire, nos rêves et nos sentiments. L'âge adulte devient un combat sans merci pour déloger de nos épaules la mainmise d'une société.

Notre époque est obsédée par le désir d'oubli et c'est afin de combler ce désir qu'elle s'adonne au démon de la vitesse. Nous sommes dans *l'ère de la descente*, nous achetons tout ce qui est rapide (planche à neige, patins à roues alignées, Formule Un, sports extrêmes, 5 à 7, ski alpin, vélo de montagne) et nous choisissons tout ce qui va vite (guichet automatique, téléphone cellulaire, télécopieur, Internet, réseaux de télévision). Mais le silence est omniprésent. Nous n'arrivons plus à saisir l'importance de la lenteur, à retrouver une disponibilité à soi-même et aux autres. Plus la vitesse fait partie intégrante de notre vie, plus elle oblige les individus à se départir de leur sensibilité. Inspirons-nous de cette réflexion dont le nom de l'auteur échappe à ma mémoire: «Ce qui rend les gens les plus heureux, ce sont les choses qui sont faites lentement.»

—

La tension permet d'aller plus vite.
La détente permet d'aller plus loin.
AUTEUR ANONYME

—

Dans une époque qui privilégie le rendement, l'efficacité, la compétition, il est urgent de favoriser les retrouvailles avec notre être intérieur. Le silence peut nous indiquer le point de départ, à lui seul, d'une démarche de mieux-être. Il est bon de se rappeler que le silence sert à révéler nos défauts et surtout à se les avouer. *Refuser nos défauts, c'est refuser de devenir humain*, comme en fait foi cette histoire:

Kieou-he-yu (grand dignitaire de l'État Wei) envoya vers le philosophe Khoung-tseu quelqu'un prendre de ses nouvelles. Khoung-tseu fit asseoir le messager près de lui, et le questionna en ces termes:

«Que fait ton maître?» Le messager répondit avec respect: «Mon maître souhaite diminuer le nombre de ses défauts, mais il ne peut jamais en venir à bout.» Le messager parti, le philosophe observa: «Quel digne messager! Quel digne messager![28]»

Au même moment, dans cette mainmise de la descente, nombreux sont ceux qui sont dans *l'ère de l'introspection*: les gens s'interrogent, se dévoilent et se remettent en question. De nombreux ouvrages (*Le soin de l'âme*, *La prophétie des Andes*, *Les renoncements nécessaires*, *Se libérer du connu*, *Petit traité des grandes vertus*, et bien d'autres), la popularité des centres thérapeutiques et des centres de santé sont autant de preuves de ce qui nous préoccupe.

Peut-on tracer le chemin de la spiritualité sans négliger un seul aspect ou une seule «vérité»? Je m'en voudrais, mais je prendrais quand même ce risque. Voici quelques idées comme référence, comme complément à l'évolution spirituelle: explorer l'inconnu, créer des silences, créer des nouvelles valeurs, encourager la réflexion, être vrai avec soi-même, développer sa sensibilité, accepter de prendre des risques, améliorer l'estime de soi, acquérir des savoirs dans leur globalité.

Un espoir demeure! N'oublions jamais ce que les enfants cherchent à nous dire par leur innocence: «Un enfant peut toujours enseigner trois choses à l'adulte:

---

28. THOREAU, Henry David, *Walden ou la vie dans les bois*, Paris, Éditions Gallimard, 1922, p. 94.

être content sans raison, s'occuper toujours à quelque chose, et savoir exiger – de toutes ses forces – ce qu'il désire[29].»

―

Ne laisse pas ta méditation t'emporter plus loin que le plaisir, laisse-la même un peu à la traîne.
ÉPICURE
Philosophe grec

―

RÉFLEXION

▶ Ce que nos sens nous disent, ce sont des messages que le corps a besoin de livrer.

―――――――

29. COELHO, Paulo, *La Cinquième Montagne*, Paris, Éditions Anne Carrière, 1998, p. 261.

CHAPITRE 5

Accorde-toi ta place
ou tu te perdras

La joie vient à celui qui ne craint pas la solitude.

JOYCE CARY

*I*l arrive fréquemment qu'on provoque ce qu'on « craint.» (Judith Viorst, *Les renoncements néces-saires*, 1988) Ce que nous provoquons par nos valeurs, nos besoins, nos choix de vie, nos attitudes n'est rien d'autre qu'une volonté de nous détacher de ce qui est trop près de nous; tantôt pour notre survie, tantôt pour répondre au côté unique de notre person-nalité, tantôt par amour, tantôt par respect. Tout cela pour ne pas devenir quelqu'un d'autre ou ne vivre que pour les autres.

——

**Soyez toujours une version parfaite
de vous-même plutôt qu'une mauvaise copie
de quelqu'un d'autre.**
JUDY GARLAND
Chanteuse et actrice

——

Un espace vital, voilà ce que tous les êtres humains ont en commun. Toutefois, plusieurs d'entre nous entretiennent encore par pouvoir, par éducation, par insécurité, par indifférence, un besoin de s'approprier complètement «l'autre» (personne, ami, parent, col-lègue). Prudence à celui qui ne peut consentir à établir une certaine *distance* dans ce qu'il vit. Regardez de près deux arbres dans la nature: plus ils sont rapprochés, plus leur développement sera limité. Leurs branches sont atrophiées d'un côté, la lumière ne peut les pénétrer par toutes leurs surfaces, et même les racines finissent par dépérir. Je crois que la vie va de même. Plus nous consentons à rester «collés» – que ce soit dans une relation amoureuse, dans le travail, dans les relations sociales, dans les activités personnelles, comme parent, comme ami, comme partenaire – plus nous nous engageons à ne développer qu'une partie de nous-mêmes et nous enlevons toute liberté à l'âme de se réaliser pleinement.

Nous sommes tous, à un certain degré, des caricatures de l'attachement à quelque chose ou à quelqu'un. Les différentes tentations qui nous entourent constituent, en fait, des attachements potentiels qui entretiennent l'illusion et, par moments, l'apparence, le pouvoir et la richesse. Et comme nous le verrons, ces attachements se transforment même en dépendance dans certains cas. *L'histoire de ce siècle montre que notre dépendance s'aggrave.* Comme le souligne Christina Grof dans *Soif de vivre* (1994), l'un des thèmes principaux des enseignements bouddhistes affirme que «la racine de toute souffrance est l'attachement – aux autres, aux lieux, aux objets ou aux comportements[1]». Le thème de l'attachement peut être abordé sous plusieurs volets.

---

1. GROF, Christina, *Soif de vivre*, Paris, Éditions Le Souffle d'Or, 1994, p. 147.

Qu'il soit question de traditions spirituelles et reli-
gieuses, de relations importantes ou de notre place dans
la société, de notre rôle de parent, de notre succès, de
nos échecs, de nos douleurs, de nos joies, l'important
demeure le contexte dans lequel ils s'inscrivent et
l'intention qui les motive. En fait, dans la mesure où
l'attachement ne conduit pas à une perte de contrôle
absolue, à une dépendance compulsive – dans laquelle
l'individu s'abandonne à une substance, une activité
ou une relation qui finit par prendre le dessus – il
permet de grandir. Mais si l'attachement prend toute la
place, il se transforme en enfer. Il faut apprendre à
renoncer, apprendre à se détacher, pour nous prévaloir
d'un sentiment de liberté et d'une perception plus juste
de la réalité.

—

**L'essentiel n'est pas toujours neuf;
la nouveauté n'est pas toujours l'essentiel.**
ANDRÉ COMTE-SPONVILLE
Petit traité des grandes vertus

—

Voici l'histoire:

Un jour d'été, je marchais dans une grande ville et
au loin, je voyais des gens qui traversaient la rue en
grand nombre. J'ai compris qu'un groupe religieux
faisait de la propagande. Je décidai de m'arrêter.

Une dame s'approcha de moi et me parla pendant plus de vingt minutes. Elle avait toute mon attention. À la fin, je lui demandai: «Que faites-vous hormis cette activité?», elle me répondit: «Cette activité est toute ma vie.» Alors, je lui dis: «Vous voyez la douleur que vous vivez compte tenu qu'il vous est impossible de vous en détacher?»

Petites parenthèses. Cessons de fermer les yeux devant ce qui nous paraît indésirable ou par peur de la réaction des autres. (Qu'est-ce que les autres vont penser?) Peut-être est-ce une façon de se réaliser? Il ne s'agit pas d'adhérer à quelque chose, mais seulement de vivre une expérience, d'écouter et d'échanger.

Nous sommes tous dépendants de quelqu'un ou de quelque chose à des degrés différents et à des moments variables de notre vie. De par les choix de vie que nous faisons et les expériences de vie que nous consentons à vivre, nous nous efforçons, tant bien que mal, de demeurer à l'abri de la dépendance (affective, sociale, professionnelle). La société cherche par tous les moyens à faire de ses citoyens des êtres dépendants ou des drogués de la consommation. «Vous souffrez, ne vous en faites pas, nous avons ce qu'il vous faut, ne bougez surtout pas, nous arrivons!» Les tentations arrivent par le truchement des circuits virtuels, des médias, des magazines, de la télévision et de tout autre moyen jugé pertinent pour nous garder immobiles. Il n'est pas exagéré de dire que les avenues de la consommation nous empêchent de voir les réalités telles qu'elles sont et, par le fait même, interviennent dans notre capacité à porter un meilleur jugement sur les choix à faire. Je suis persuadé qu'en plusieurs occasions, ce qu'il nous faut ne parle pas, ne sent rien, ne coûte rien et vient de nous-mêmes. Comme l'a dit Novalis, «le chemin mystérieux va vers l'intérieur».

L'espace est une façon unique de se comprendre, de revoir ses forces et ses faiblesses. L'être humain n'est pas le fruit d'une seule racine – le travail seul ou l'être aimé seul. Il y a le travail, l'amour, les amis, les loisirs, mais il y a d'abord et avant tout *Vous!* Vous avec vos émotions, vos désirs, vos conflits, vos joies, vos rêves, vos peines et votre plaisir à vous exprimer. De même, les racines de votre arbre doivent se trouver en bon équilibre en ce qui concerne le temps et l'énergie alloués à chacune des variables de la santé holistique. Elles peuvent ainsi mieux affronter le vent, la pluie, l'orage, la chaleur, le froid que tout arbre doit affronter. Si vous désirez un arbre de vie pouvant braver les imprévus, les frontières de l'inconnu, se lier aux autres, observez de quoi se nourrissent vos racines.

—

Gardez un arbre vert dans votre cœur et peut-être que les oiseaux s'y poseront en chantant.
Proverbe chinois

—

L'espace n'est pas seulement une affaire de distance physique, mais surtout de distance pour laisser croître les idées, les pensées, les rêves, les aventures que nous avons tous le désir de partager. Et enfin, la distance donne une liberté d'agir, de traduire ses ambiguïtés et de rétablir le contact avec soi-même.

Il faut savoir s'ennuyer de l'autre, le délaisser quelques instants, le regarder de loin. Pourquoi? Surtout pour puiser dans son imagination afin qu'au retour, il y ait un brin de magie qui puisse être octroyé tant dans notre façon de faire les choses que dans notre façon de s'ouvrir à l'autre. La distance est une condition au maintien de notre intégrité personnelle et de celle de l'autre. Le plus grand défi qui nous attend tous est celui de *préserver les contacts humains*. Alors, il nous reste la créativité. Pour bien puiser dans nos sens, accordons une certaine distance à ce que nous vivons. De cette façon, nous laissons nos corps se plonger dans l'océan des expériences pour y introduire de nouvelles cellules d'idées et d'imagination. Sans ce recul, nous ne pouvons ni faire avancer les communications, ni les relations, ni nous-mêmes, car c'est le ressort de la distance qui nous permettra de mieux guider nos besoins.

Voici l'histoire:

Je me souviens d'une consultation auprès d'une dirigeante d'entreprise qui me raconta son inquiétude. Elle voulait tout arrêter. Elle ne savait plus si le travail avait encore un sens pour elle. Elle ne savait plus si sa relation avec son conjoint méritait qu'elle s'y attarde. En somme, elle commençait à se poser des questions, à réfléchir sur sa vie, sur ses priorités, à énoncer des «pourquoi», des «est-ce nécessaire», des «je ne sais pas», des «je devrais», des «il faut». Dans cette période de réflexion, elle devenait plus sensible à certains malaises (insomnie, fatigue). Sa vie était, depuis plusieurs années, constituée d'une routine bien établie. *Or la routine, si nous l'acceptons, finit toujours par nous déranger!* Mon intervention s'est limitée à lui proposer de ne pas abandonner cette réflexion, de poursuivre sans délai ce questionnement, de se recueillir dans le silence, d'introduire de l'espace pour laisser place aux émotions enfouies. Nous sommes tous, à un moment ou à un autre de notre vie, invités à revoir notre participation quant à nos choix de vie.

D'ailleurs, nous sommes à la croisée des chemins; devons-nous continuer à laisser un seul hémisphère du cerveau faire son œuvre, c'est-à-dire sa routine bien établie depuis des années, et ainsi empêcher, peut-être, toute possibilité de créer de nouveaux liens avec d'autres aspects de sa personnalité? «Qui fait profession d'indifférence fuit l'éveil à sa propre vie, se fuit soi-même[2].»

Je crois que l'origine de l'indifférence, si répandue dans notre monde actuel, vient d'abord de nous-mêmes.

---

2. DE KONINCK, Thomas, *De la dignité humaine*, Paris, Éditions P.U.F., 1995, p. 166.

Tant que nous n'introduisons pas notre sensibilité dans notre propre vie, nous ne pouvons pas accéder à un plein épanouissement personnel et collectif. D'ailleurs, je vous invite à lire l'histoire suivante tirée du livre de Thomas De Koninck, *De la dignité humaine* (1995), qui nous permet de mieux saisir la véritable raison qui conduit à toute cette indifférence au point de négliger sa propre actualisation.

On demandait à un voyageur qui avait vu beaucoup de pays et de nations et plusieurs continents, quelle était la qualité qu'il avait partout rencontrée chez les hommes; il répondit: *une certaine propension à la paresse*[3].

RÉFLEXION

▶ «Il faut être un temps sans récompense, humaine ou matérielle. La distance signifie supporter le vide. Détacher notre désir de tous les biens et attendre.»

(SIMONE WEIL, *La pesanteur et la grâce*, 1988)

---

3. DE KONINCK, Thomas, *De la dignité humaine*, Paris, Éditions P.U.F., 1995, p. 167.

CHAPITRE 6

Parlons-nous...
Penser à soi pour mieux
déborder sur les autres

*Une compréhension purement intellectuelle ne
suffit pas, il faut ajouter la compréhension émotionnelle
si l'on veut exercer «le métier de comprendre autrui».*

DANIEL GOLEMAN
L'intelligence émotionnelle (1997)

*L*e meilleur tranquillisant, c'est le lien! Parler, se rencontrer, échanger, se comprendre. Dans une culture de la solitude, renforcée par la technique, par l'argent, par les circuits virtuels, par les cartes de crédit, par les images, nous disposons de moins en moins de ce tranquillisant naturel qu'est la parole[1].» Dans les chapitres précédents, j'ai tenté de proposer à l'adulte une réflexion sur ses besoins, ses attitudes et ses attentes. Nous savons tous que prendre soin de soi est un tremplin pour mieux aborder autrui.

Quelques minutes ajoutées chaque semaine à votre horaire pour en apprendre un peu plus sur les composantes de la communication, c'est ce que je recommande instamment. Dans le mot communication, nous trouvons la racine de sa définition, c'est-à-dire «commun». Recherchons une complicité dans les propos, dans les gestes, dans les attitudes afin d'établir un contact, un échange, un lien. «Il faut faire attention à tout, car on peut tout interpréter[2].»

---

1. NAHOUM-GRAPPE, Véronique, *Rêves de rencontre*, Paris, Les Éditions Textuel, 1996.
2. HESSE, Hermann, *Le jeu des perles de verre*, Paris, Éditions Calmann-Lévy, 1955, p. 67.

—

Il est essentiel de maîtriser les connaissances de base de la communication, car le jour viendra où il ne suffira plus d'être physicien nucléaire ou fabricant d'enveloppes [...]. La seule valeur sûre, c'est la communication.
HARVEY MACKAY
Homme d'affaires

—

Nous voici arrivés au moment où il convient de nous pencher sur notre qualité de vie. Le lien entre prendre soin de soi et mieux déborder sur les autres se justifie par le besoin pressant de renouer avec les ficelles de la communication. Il devient donc urgent de réfléchir sur les mots employés, les gestes et les attitudes déployés et les manières d'être, pour nous rendre convaincants dans un échange d'authenticité. Est-ce notre incapacité à communiquer ou notre acceptation de l'indifférence? Toujours est-il que nous laissons une société qui a délaissé les valeurs humaines pour faire la part belle à ceux que je qualifie de mercenaires de la consommation, de requins du pouvoir qui idéalisent l'égocentrisme généralisé de plusieurs d'entre nous.

En fait, on ne se parle plus, on ne se regarde plus; les contacts humains ont disparu, le rire s'est évanoui, la fluidité est remplacée par la rigidité, nous vivons une véritable tragédie humaine!

—

**Méfions-nous de ceux et celles qui ne
savent pas rire, qui ne rient jamais.
Ce sont des suspects. Mozart disait d'eux:
«Ce ne sont pas des gens sérieux.»**

—

La communication est au cœur des invitations de la vie. Nul ne peut paraître plus authentique que par sa volonté de vouloir exprimer une opinion, un geste, une expression dans l'intention d'établir une complicité avec autrui.

Nous savons tous que la plus grande préoccupation de notre siècle est de nous comprendre nous-mêmes, d'être compris et de comprendre l'autre. Toutefois, y arriver ne semble pas toujours évident, car nous avons tendance à ne privilégier qu'un seul moyen de communication, le nôtre! Tous les jours, nous côtoyons des gens qui ont besoin d'être touchés, de parler, d'écouter, ou qui sont à la recherche d'une simple attention.

Par où commencer? Je vous dirai, par vous. Soyez d'une grande curiosité. La communication ne s'apprend pas uniquement par la lecture, les séminaires auxquels vous assistez ou par l'imitation de ceux qui vous entourent, mais bien d'abord par la communication avec vous-même. Plus de 95 % de la population occidentale ne fait qu'imiter les autres. Les enfants et les adolescents d'aujourd'hui illustrent bien cette tendance. Leurs modèles sont des artistes, des acteurs, des personnages virtuels; autant d'illusions en boîte. Un grand nombre d'entre nous, adultes, rêvent de loteries, d'objets rares, de mannequins virtuels, de sports extrêmes, de conquêtes passagères où le cœur est absent et le simple besoin de se parler reporté à plus tard, voire inexistant.

Comment réagir? Prenez le temps de vous toucher, de ressentir chacune des parties de votre corps et d'en comprendre la sensibilité. Prenez le temps de bien respirer, de bien sentir les fleurs, les parfums, les arômes et les odeurs qui se glissent dans votre quotidien. Prenez le temps de voir de vos yeux les détails des objets, les formes et les lignes. Prenez le temps de goûter ce qui entre dans votre bouche et d'en décrire les saveurs. Et enfin, prenez le temps d'écouter les sons qui entrent dans vos oreilles et soyez à même de décrire chacune de leurs partitions. Pour en faire plus qu'une simple expérience, accordez-leur chaque jour un peu d'attention et d'espace. Enlevez chacun des masques qui empêche vos sens de s'exprimer.

Nous sommes si pauvres lorsque nous cessons de communiquer. Une suggestion vous est faite, celle de voir ou de revoir les films *Parfum de femme* – notamment la scène du restaurant – *Hasards ou coïncidences* – «Plus le malheur est grand, plus il est grand de vivre!», dans la scène à Venise – et aussi *La leçon de Tango* – la scène dans la cuisine. Regardez ces films à deux!

**Écouter, puis savoir choisir entre les avis,
voilà le premier pas de la connaissance.**
CONFUCIUS
Philosophe chinois

Chaque personne intervient dans la vie avec ses canaux de communication bien à elle. L'art de saisir ce que chaque personne cherche à nous communiquer par la voie de ses sens peut paraître insignifiant pour plusieurs, mais ces détails sont porteurs de beaucoup de messages. «Quoi que vous fassiez, cela vous semblera insignifiant, disait Gandhi, mais faites-le quand même, cela est très important.» Par moments, une personne nous invitera par son parfum à nous décrire sa façon à elle de recevoir un message. Une autre personne cherchera, par sa gestuelle, à décrire ses propres mécanismes de réceptivité. Vous arrive-t-il d'aller chez des amis et de constater, par exemple, que les plantes sont bien taillées? Pourquoi ne pas dire à ces amis ce que vos yeux perçoivent? Votre jeune fille est allongée au salon pour lire; pourquoi ne pas vous allonger aussi et imiter ses gestes pour mieux entrer en contact avec elle? Par moments, il sera question d'attitudes corporelles; à d'autres, le pouvoir de l'intuition sera aussi un sentiment à découvrir.

Il est inévitable, il est même juste que nos plus hautes intuitions apparaissent comme des folies, sinon comme des crimes, lorsqu'elles parviennent indûment aux oreilles de ceux qui ne sont ni faits pour elles ni prédestinés à les entendre[3].

Les mots ne s'en vont pas, les paroles ne s'envolent pas, elles se déposent ou continuent de voyager en vibrations subtiles, en invitations silencieuses.[4]

Dans tout cet envol de la qualité de vie, n'y a-t-il pas un message d'attitude avec lequel nous devons composer?

—

La vie est faite de nos attitudes.
PAULO COELHO
La Cinquième Montagne

—

3. NIETZSCHE, Friedrich, *Par-delà bien et mal*, Paris, Éditions Gallimard, 1971, p. 49.
4. SALOMÉ, Jacques, *Contes à guérir, Contes à grandir*, Paris, Éditions Albin Michel, 1993, p. 369.

RÉFLEXION

▶ Je ne pourrai rien vous cacher…
▶ J'ai besoin de parler...
▶ Besoin de te parler...
▶ Besoin de t'écouter.

CHAPITRE 7

Le monde du travail…
comment réagir?

*Ce ne sont pas tant les choses que nous
ignorons qui nous créent des ennuis
que les faussetés auxquelles nous croyons.*

ARTEMUS WARD
Histoire naturelle (1861)

*L*e temps que nous consacrons au travail représente près des deux tiers de notre existence. Nous voilà aujourd'hui contraints à quelques révisions déchirantes. De longues conversations deviennent nécessaires entre les êtres humains pour assurer une certaine cohérence entre le savoir-faire et le savoir-être. Notre qualité de vie est si fragile dans l'univers du monde du travail. Nous marchons désormais sur un fil de fer et notre équilibre dépend plus que jamais de notre capacité d'adaptation.

Dans toutes nos relations humaines, au bureau, à la banque, dans les institutions d'enseignement, dans le monde informatique, le système de la santé, le milieu des affaires, la famille, nous avons à revoir nos attitudes. Nous n'arrivons plus à avoir du plaisir au travail; même le rire a disparu pour être remplacé par la culpabilité, la dramatisation et l'arrogance. Nous avons peine à nous supporter nous-mêmes au travail. Nous apprécions une personne une journée et nous la détestons le lendemain. Le négativisme envahit le quotidien des travailleurs.

Les enjeux sont considérables. La première réflexion d'un changement d'attitude réside dans l'abandon du principe de compétition sans limites. Ce qui importe, c'est moins la compétition que la variété. Une seconde recommandation est d'entrevoir une ambition sociale qui accorde plus d'importance à la qualité de vie des gens qu'aux performances strictement économiques et techniques. Une troisième valeur réside dans notre capacité à modifier notre façon de voir le travail qui permettra aux membres du personnel d'une organisation de se développer dans leur globalité.

Reconnaissons que rien ne semble de nature à faciliter aujourd'hui un tel choix. Dans le monde hiérarchisé en structures organisationnelles, on trouve plus de requins que de dauphins, des affamés de pouvoir, de contrôle et de procédures.

—

Ce sont les passions et non les intérêts qui mènent le monde.
ALAIN
Mars ou la Guerre jugée

—

Or, nous sommes voués à cheminer modestement. Nous pourrons difficilement faire face à ces gourous polarisés sur des préoccupations strictement financières. Donc, à nous de nous forger une raison commune fondée sur la tolérance. Nous avons à définir ensemble ce que nous entendons, humainement, par «vérité», et les critiques qui peuvent raisonnablement la satisfaire. Une grande réhabilitation s'impose autant sur le plan de la structure organisationnelle, des mandats sollicités, que sur celui des ressources humaines auxquelles nous devons faire confiance.

Un retour sur soi-même vaut toutes les vérités.
PIERRE DE SAINT-PIERRE

Dans l'immédiat, il faut réhabiliter l'intelligence par une trilogie des savoirs: le savoir, le savoir-faire et le savoir-être devront être utilisés conjointement dans une solidarité intelligente, dans la recherche de compromis humanistes entre le possible et l'idéal, le présent et le futur, la compétence et la cohésion sociale. Au fond, ce qui fait l'humanisme dont nous avons besoin, c'est la conscience qu'il ne s'agit pas de vouloir supprimer le mal parmi les gens, mais seulement de se donner les moyens d'en anticiper et d'en amortir les manifestations.

«Cela n'a plus de sens[1].» Le mot déstabilisation semble bien décrire le malaise dans lequel se trouve un grand nombre de nos organisations. L'individu redécouvre aujourd'hui que l'avenir n'est ni prévisible ni écrit, mais profondément incertain. Nul ne peut dire aujourd'hui, sans risque de se tromper, ce qu'il sera dans 5 ou 10 ans, mais il peut dire ce qu'il veut être; c'est peut-être l'essentiel. Le doute et l'inquiétude ont pris la place de nos anciennes certitudes. Le monde n'offre plus de prise et sa nouvelle étrangeté,

---

1. PAUCHANT, C. Thierry, *La quête du sens*, Montréal, Éditions Québec Amérique, 1996, p. 13.

«complexité», dit-on le plus souvent, nous laisse perplexes et démunis. Relativement au monde du travail qui se «déchaîne» sous nos yeux, dont l'ordre et les perspectives nous échappent, avoir le courage d'être nous-mêmes et le courage de créer sont là des défis à relever.

«Comment vivre? De toutes les questions simples, c'est la plus simple et peut-être, aujourd'hui, la plus urgente[2].» Une nouvelle ère s'annonce, celle de la précarité.

Une profonde contradiction se manifeste donc entre les besoins des individus faisant partie des organisations et la quête effrénée de richesses encore plus grandes désirée par les dirigeants.

Comment réagir? Dans cette nouvelle réalité du monde du travail, une partie de la tâche de chacun est de poser des questions et de remettre en cause les idées reçues. Elle exige, entre autres, entre employeur et employé, une relation de pouvoir tout à fait novatrice, dont le premier aspect est qu'une place doit être accordée aux erreurs intelligentes. Alvin Toffler, dans son livre *Les nouveaux pouvoirs* (1991), précise qu'avant de récolter une seule bonne idée, il faut qu'il en ait été lancé – et discuté – une multitude de mauvaises; ceci afin que chacun soit désormais libéré de la peur.

Alvin Toffler semble convaincu que plus la force de travail reçoit d'autonomie, plus elle exige que soit

---

2. DAVID, Catherine et De TONNAC, Jean-Philippe (Textes réunis), *L'Occident en quête de sens*, Paris, Éditions Maisonneuve et Larose, 1996, p. 11.

élargi son droit d'accès à l'information. Toffler insiste pour dire que cette nouvelle ère du travail ne peut absolument pas fonctionner sans contacts humains, sans imagination, sans intuition, privée de toute forme de sensibilité ou d'autres qualités que nous attribuons plus volontiers aux êtres humains qu'aux machines.

Aujourd'hui, c'est non seulement le logiciel qui prend la relève du cerveau humain dans le travail, mais c'est aussi toute cette machinerie que nous entassons dans nos maisons. Bientôt, nous devrons affronter de nouvelles et déroutantes interrogations sur les bons et les mauvais usages du savoir artificiel. Où est l'humain dans tout cela? À l'appui de cette importante réflexion, nous pouvons dire que plus l'espace psychologique est combiné à des voies artificielles, plus nous nous éloignons de l'état d'équilibre, et plus nos besoins deviennent imprévisibles, voire «incertains». Les émotions prisonnières des écrans rompent ainsi l'équilibre de vie au profit d'une technologie de plus en plus angoissante.

—

Vous ne comprenez réellement une chose que si vous la comprenez de plus d'une manière.
MINSLEY

—

L'ère de l'information *high-tech* (l'univers technolo-gique) est déjà là, d'accord, mais il y a aussi l'ère du *high-touch* (davantage de face à face). Sachons faire le compromis entre les deux. Le monde où nous vivons est de plus en plus contrasté. Nous savons tous qu'une société technologique se profile à l'horizon. Étince-lante d'ordinateurs et de robots, elle déverse sans fatigue ses bienfaits en un flot de nouveaux produits et services sophistiqués, avec pour conséquences, des mil-lions de travailleurs aliénés, victimes de stress, victimes d'intimidations subtiles. Aujourd'hui, de plus en plus de gens ont si bien intégré les rythmes de la nouvelle culture informatique qu'on les entend volontiers se plaindre d'«être déconnectés», d'«intolérance», de «surchauffer». L'escalade des niveaux de stress due aux environnements de travail *high-tech*, automatisés, se traduit par des demandes d'indemnisation auprès de l'assurance-maladie.

Comme le souligne Nancy Hutchens, consultante en ressources humaines: «Les sociétés utiliseront les gens strictement comme elles en auront besoin. Les répercussions sont effarantes.» Pour elle, divers États n'ont pas encore pris la mesure des conséquences que cet emploi à flux tendus risque d'avoir sur le bien-être économique et la sécurité émotionnelle de leur popu-lation active.

L'enjeu est le concept même du travail. Des voies alternatives au travail tel que nous le connaissons devront être élaborées pour permettre aux énergies et aux talents des générations futures de s'exercer. Voilà une invitation à reconstruire le lien social et à revivifier notre aventure à vivre ensemble: il y a urgence.

L'individu a comme tâche de se produire lui-même. Sa principale finalité est d'être auteur, acteur et metteur en scène, de réaliser ses nombreux talents. Remplaçons le «chacun pour soi», sans avenir, par le «qu'est-ce qu'on peut faire pour les autres?» Je le répète, demandez-vous comment tout ce que vous faites dans la vie peut rejaillir sur les autres, par vos attitudes positives, vos valeurs, votre écoute active. Il devient impératif, dans notre monde d'incertitudes et de précarité, de développer de grandes valeurs, notamment la tolérance, le respect et le courage. Être centré sur les valeurs humaines et limité dans les ambitions strictement individuelles, c'est essentiel. L'idée classique de l'autonomie est révolue, tout comme celle de l'individu responsable parce que rationnel, même si cette tradition conserve des éléments qui nous sont encore profitables. En revanche, nous aurions avantage à essayer de nous aménager une identité collective, de cesser de trouver des refuges dans la passivité et d'apprendre à nous responsabiliser. La sédentarité sous toutes ses formes doit immédiatement cesser, nous devons promouvoir l'action, les gestes concrets, le souci de prendre soin de soi et des autres.

Ce qui deviendra nécessaire ne sera pas seulement telle ou telle qualification en mécanique – ni même en mathématiques comme le prétendent certains industriels – mais aussi un large éventail de compétences culturelles et d'aptitudes aux relations humaines. Il nous faudra préparer les gens par le biais d'un solide système éducatif, par la formation continue, par des formations professionnelles et par l'autoformation, pour des tâches telles que les soins à donner à la population du troisième âge (qui s'accroît rapidement) ou aux enfants; aux métiers relevant des services de santé, de sécurité personnelle, de formation, de loisirs, de tourisme et aussi dans le but d'élargir les compétences humaines et sociales.

Aujourd'hui nous payons le prix de l'individualisme par une insécurité croissante, une constante vulnérabilité. Par ce choix axé sur le «moi», l'individu est ainsi, de la naissance à la mort, soumis à l'inquiétude permanente. Dostoïevski écrivait: «Chacun de nous est coupable et, moi, je le suis plus encore que les autres.» C'est une affirmation que nous reprenons tous à notre compte aujourd'hui. C'est d'autant plus vrai que nous sommes contraints de nous construire sous le jugement des autres: l'homme et la femme sont soumis toute leur vie au tribunal permanent constitué par les autres.

L'Homme moderne voudrait conserver les avantages de la liberté (l'indépendance) en se débarrassant de ses inconvénients (la responsabilité). Nous sommes tellement envahis par le monde du travail que notre difficulté à choisir est de plus en plus croissante. Les 20 dernières années ont fait monter le niveau d'exigence dans notre vie personnelle et professionnelle. Nombreux sont ceux dont la raison de vivre est le travail, le reste étant secondaire. *Notre confiance est paralysée.* Nous nous mentons à nous-mêmes. Nous sommes de moins en moins convaincus de nos priorités. Nous ne sommes pas plus fidèles à nos valeurs qu'à nos engagements. Le monde nous apparaît désenchanté, et nous avec lui. Nous avons le sentiment de «ne pas faire comme il faut»… sans pour autant savoir comment il faudrait faire!

Comme conférencier, j'en conclus que c'est d'un déficit de confiance que souffrirait notre monde du travail. Notre incertitude est une fuite devant nos engagements, nos responsabilités, aidée de notre égoïsme désintéressé et cela, tant dans le monde du travail que dans l'ensemble de la société. Nous ne prenons plus le temps de comprendre. Nous préférons fermer les yeux. Nous agissons très souvent sans considération, sans concertation et sans collaboration. Le mot vulnérabilité caractérise désormais la personne dans son quotidien. Le désir d'être seul augmente. Nous devenons prisonniers de notre irresponsabilité à l'égard de nous-mêmes et des autres. Nous cherchons trop souvent à régler les choses par la facilité.

—

Plus la vie devient facile dans une société de consommateurs ou de travailleurs, plus il devient difficile de rester conscient des forces de nécessité auxquelles elle obéit même quand le labeur et l'effort, manifestations extérieures de la nécessité, deviennent à peine sensibles.
HANNAH ARENDT
Condition de l'Homme moderne

—

211

Cette folie de l'excellence, cette quête permanente de dépassement de soi et des autres, ne seraient-elles alors qu'une façon de combler un manque – manque d'un confident, manque de diversité, manque d'intimité? De la performance à tout prix découle la volonté de l'entreprise de trouver une réponse à l'angoisse à laquelle l'adulte est confronté. Malheureusement, les dirigeants profitent de cette situation pour continuer de mettre en place des structures, des procédures, des règles pour étouffer les émotions, l'imaginaire, les idées, les pensées des personnes. Une telle attitude conduit inévitablement à une forme d'autodestruction des émotions des gens de ces organisations. Il devient donc urgent de douter de ce type de management qui cherche à contrôler la vie des employés. Il n'est pas possible de croire sans douter. Nous devons ainsi réagir sans tarder à cette réalité afin d'empêcher la maladie de la performance d'anéantir les valeurs humaines au profit d'un développement narcissique insensé.

Cette idéologie de l'excellence suscite chez ceux qui n'y arrivent pas une forme de culpabilité liée à la sensation de ne pas être à la hauteur.

«Nous connaissons le bien, mais nous ne le pratiquons pas, disait Euripide. La vraie caractéristique de la conscience n'est donc pas la simple connaissance, mais un usage harmonieux de nos qualités, de sorte que ce que nous savons et disons est lié à nos actions[3].» Par

---

3. EURIPIDE, cité dans SAUL, John, *La civilisation inconsciente*, Paris, Éditions Payot & Rivages, 1997, p. 201.

exemple, nous devrions donc changer radicalement d'attitude et rompre avec la recherche effrénée de la technologie au détriment des contacts humains. D'où la reformulation suivante de Hans Jonas: «Agis de façon que les effets de ton action soient compatibles avec la permanence d'une vie authentiquement humaine sur terre» et «de façon que les effets de ton action ne soient pas destructeurs pour la possibilité future d'une telle vie.»

Que faire? Il n'existe plus de certitudes absolues, plus de valeurs absolues. Le vrai n'est pas le bien, le bien n'est pas le vrai. Entre la vérité, la connaissance, la valeur et la volonté, un écart s'est creusé qu'il nous faut désormais habiter. C'est ce qui caractérise notre espace spirituel. *Nous ne pouvons plus fonder nos valeurs sur nos connaissances.*

—

Comprendre que jamais le savoir ne peut résoudre nos problèmes humains, c'est l'intelligence.
ZÉNO BIANU
Krishnamurti ou l'insoumission de l'esprit

—

La honte peuple nos esprits, une honte de toute une civilisation d'ailleurs. Rien ne paralyse comme la honte. Viviane Forrester insiste: «La honte devrait être cotée en bourse: elle est un élément important du profit.» Et elle poursuit à propos de cette société qu'elle qualifie de somnambule dévastée par des problèmes majeurs; une question essentielle surnage, jamais formulée: «Faut-il "mériter" de vivre pour en avoir le droit?[4]»

Comment en sommes-nous venus à ces amnésies, à cette mémoire défaillante, à ces bourreaux des chiffres, à cet oubli du présent? Qu'est-il arrivé pour qu'aujourd'hui sévisse une telle impuissance des uns, une telle domination des autres? Serait-ce un naufrage camouflé par un vocabulaire qu'on appelle «crise», «changement», asséné par des dirigeants dont la croissance des affaires est le but ultime? Pourtant, c'est un peu la responsabilité des organisations de souligner l'importance que la réussite ne soit jamais un refuge permanent.

Notre indifférence, notre passivité devant cette horreur augurent du pire danger. Une grande fragilité s'empare de nous. «Pour agir consciemment dans l'intention de s'éveiller, il faut connaître la nature des forces qui retiennent l'homme dans le sommeil[5].»

4. FORRESTER, Viviane, *L'horreur économique*, Paris, Éditions Fayard, 1996, p. 16-17.
5. DAVID, Catherine et De TONNAC, Jean-Philippe (Textes réunis), *L'Occident en quête de sens*, Paris, Éditions Maisonneuve et Larose, 1996, p. 274.

—

**Nous seul savons ce qui nous éveille
et ce qui nous endort.**
PEMA CHODRON
Entrer en amitié avec soi-même

—

Comment réagir? En continuant de se ressourcer, de se recycler dans tous les hémisphères du cerveau. D'un côté, l'appropriation de nouvelles vertus, de l'autre, le risque de l'exactitude, le risque d'éviter toute forme de sédentarité.

Tous ces besoins pour réagir nous contraignent à un effort de lucidité. La maîtrise de soi, la fidélité aux valeurs, la créativité, l'inconnu, deviennent désormais des passages obligés pour mieux transiger avec les situations de vie auxquelles nous sommes confrontés.

—

**Il ne s'agit pas d'inventer de nouvelles valeurs,
il s'agit d'inventer une nouvelle fidélité aux
valeurs que nous avons reçues et que nous
avons à charge de transmettre.**
ANDRÉ COMTE-SPONVILLE
Une morale sans fondement

—

Il s'agit de se demander non pas «que faut-il faire?» mais «que dois-je faire, moi?», cette deuxième question étant beaucoup plus délicate à résoudre que la première. Il va nous falloir traiter de l'incertitude, de l'inattendu dans tous nos engagements en tant qu'individu, que ce soit sur le plan individuel, affectif, social et professionnel. Notre sort exige une attention immédiate et soutenue qui interpelle la personne tout entière.

Ce nouveau savoir n'inclut pas seulement des données informatives, logiques et rationnelles, mais aussi des valeurs, qui sont le fruit de la passion et de l'émotion comme de l'imagination et de l'intuition. «Je prétends que la différence dans le savoir tient bien souvent aux capacités que nous désignons ici par l'expression intelligence émotionnelle, qui recouvre la maîtrise de soi, l'ardeur et la persévérance, et la faculté de s'inciter soi-même à l'action[6].»

Dès les premières pages de ce livre, je soulignais la nécessité de mettre l'accent sur les raisons psychologiques sous-jacentes pour mieux comprendre à la fois les crises, les changements et les transformations de nos sociétés. Et s'il est deux attitudes morales qu'exige notre époque, ce sont précisément celles-ci: le respect et l'authenticité. «Ou le simple sentiment d'être traité avec justice et dans la dignité[7].»

---

6. GOLEMAN, Daniel, *L'intelligence émotionnelle*, Paris, Éditions Robert Laffont, 1997, p. 10.
7. TOFFLER, Alvin, *Les nouveaux pouvoirs*, Paris, Éditions Fayard, 1991, p. 264.

Suivant la pensée de divers auteurs qui ont servi de point de départ de réflexion dans ce livre, nous pouvons convenir que nos passions et nos désirs guident nos actions, et que notre espèce doit sa survie à leur constance. «Notre intelligence est inutile quand nous sommes sous l'emprise de nos émotions[8].»

«La vie est difficile[9].» Dans l'ensemble, les auteurs cités dans ce livre reconnaissent à la fois la beauté et la tragédie de la vie. Je résume leurs pensées en citant l'observation de Paul Tillich:

Je suis convaincu que le caractère de la condition humaine ainsi que celui de toute vie est «l'ambiguïté»: le mélange inséparable du bien et du mal, de la vérité et du mensonge, des forces créatrices et destructrices – individuelles ou sociales... Celui qui n'est pas conscient de l'ambiguïté de sa perfection en tant que personne et dans son travail n'est pas encore mature; et une nation qui n'est pas consciente de l'ambiguïté de sa grandeur manque également de maturité[10].

La disparition de la «morale d'entreprise», remplacée par l'efficacité économique à court terme, chiffrable, a conduit les organisations à de terribles

---

8. GOLEMAN, Daniel, *L'intelligence émotionnelle*, Paris, Éditions Robert Laffont, 1997, p. 18.
9. PECK, Scott, *Le chemin le moins fréquenté*, Paris, Éditions Robert Laffont, 1987, p. 7.
10. TILLICH, Paul, *The Ambiguity of Perfection*, 1963, p. 53.

dérapages. L'efficacité n'est pas obtenue par une synergie ni par un esprit d'équipe, mais par un combat acharné où tout peut être remis en question. Au bout du parcours, il n'y a plus de symphonie! Nous avons fraudé l'âme, même en pensée, taxé l'intention, la pensée, l'émotion, empêché les opinions: voici le summum de la folie!

—

20/80: la société des deux dixièmes, telle que se l'imaginaient les visionnaires élitaires pour le siècle à venir, correspond parfaitement à la logique technique et économique avec laquelle les chefs d'entreprise et les gouvernements mènent l'intégration globale.
HANS-PETER MARTIN ET HARALD SCHUMANN
Le piège de la mondialisation

—

Je ne veux pas croire à un complot délibéré. La cause de cette attitude inexcusable est plus profonde: on l'appelle la loi du plus fort. Tout le monde le sait, mais nul ne veut l'avouer. Nombreux sont ceux qui baissent les yeux, en commençant par les dirigeants eux-mêmes. Les canons – absence de concertation, indifférence, mépris, oubli – des entreprises sont désormais braqués sur nous. «Le grand bureaucrate ne rit pas quand c'est drôle, mais bien quand c'est rentable.» (Maurice Henrie, *La Vie secrète des grands bureaucrates*, 1989)

L'inculpé est maintenu dans un état d'ignorance. Les attitudes de plusieurs technocrates sont poussées jusqu'à l'absurde. «Il faut rétablir la hiérarchie des valeurs: redonner aux individus la place qui leur revient, la première; et aux machines celle qui leur convient: la dernière[11].»

Cela ne signifie pas que les raisons d'espérer soient disparues. Le degré d'acceptation de la technologie, de la richesse, de la précarité, du court terme et du savoir ne doit en rien réduire l'engagement de la personne humaine dans sa globalité. Elle doit, au contraire, permettre l'émergence des potentialités humaines qui, malheureusement, est réduite dans une proportion largement dominante à son plus strict minimum d'expression. Cependant, pour autant que nous puissions en juger, les logiques de consommation et de pouvoir semblent pour l'instant l'emporter. Plus précisément, ce qu'il y a d'intelligence, de progrès et de tolérance dans ce monde semble cheminer avec de plus en plus de difficulté. Comme si le doute ou l'incertitude l'emportaient sur la conviction que nous pouvons changer le monde.

Il est évident que, sans un minimum de comportements altruistes, le monde devient invivable. Ceci suppose que nous devons d'abord réapprendre à vivre ensemble en préservant le respect de chacun d'entre nous. Mais réapprendre à vivre ensemble, n'est-ce pas

---

11. LUSSATO, Bruno, *L'échelle humaine*, Paris, Éditions Robert Laffont, 1996, p. 310.

d'abord réapprendre à parler et, ensuite, à agir ensemble?

—

**Il n'y a pas deux personnes qui comprennent
la même phrase de la même façon.**
MILTON ERICKSON
Mind Body Communication in Hypnosis

—

«Les êtres humains sont tout à la fois des individus profondément égoïstes et des animaux sociaux qui fuient [...][12].» Alors nous devons nous demander ensemble quel héritage humain nous avons l'intention de laisser derrière nous. Il apparaît de plus en plus clair que, pour fonctionner, l'être humain a besoin d'autre chose que de l'égoïsme intéressé de chacun. Il lui faut cette fluidité dont le nom évoque plus les élans de la sensibilité que du rationnel.

L'avenir appartient aux sociétés qui sauront ménager la convivialité et suffisamment de variété sociétale, donc d'ouverture[13].

---

12. FUKUYAMA, Francis, *La confiance et la puissance*, Paris, Éditions Plon, 1997, p. 331.
13. ENGELHARD, Philippe, *L'Homme mondial*, Paris, Éditions Arléa, 1996, p. 562.

Parions que cette reconstruction est entre les mains d'un grand nombre de femmes et d'hommes ou de groupes lucides, courageux et tolérants, qui, progressivement, développeront de nouveaux comportements et de nouvelles pratiques sociales. L'être humain doit, lui-même, introduire une logique de survie, de réciprocité et d'exemplarité dans cet univers de changements.

«Si tout était parfait, le monde n'existerait tout simplement pas, et si, par malheur, il le devenait, il n'existerait tout simplement plus», écrit Jean Baudrillard. Mais entre cette imperfection congénitale, qui est la condition nécessaire de l'existence, et l'impensable en train de naître sous nos yeux, la marge est immense. Et c'est elle qu'il nous faut maintenant combler.

On ne la comblera, partiellement, que par la compréhension et la mise en œuvre du principe de variétés nécessaires: économique, sociale, politique, culturelle. «C'est l'intérêt de tous les employés d'acquérir une variété de compétences. Si, en planifiant ses propres finances, on a à cœur de diversifier les risques, cela a tout autant de sens quand on planifie sa carrière[14].»

En remettant l'expérience humaine à l'honneur dans les organisations et en utilisant des approches empathiques et collectives, la considération de l'individu s'inscrit dans la ligne de pensée qui apparaît dans la conclusion de ce chapitre, c'est-à-dire qu'une réhumanisation du monde du travail par une double responsabilité vise à la fois l'employé et l'employeur.

---

14. FOOT, K. David, *Entre le boom et l'écho*, Montréal, Éditions Boréal, 1996, p. 99.

La culture d'entreprise a pris aujourd'hui une telle importance dans la vie des êtres humains qu'elle ne saurait nous dispenser de réfléchir à la place qu'elle occupe et au rôle qu'elle remplit dans tous les aspects de la vie.

—

Dorénavant ce n'est plus l'intention qui compte, mais seulement le résultat.
JACQUES T. GODBOUT
Le langage du don

—

Et de ce fait, le rôle majeur de tout employeur est de proclamer haut et fort la «revalorisation» du «capital humain» qui doit demeurer à la base de ses préoccupations et ancré dans son habileté à construire des processus d'action qui conduiront à soutenir les relations humaines.

Le défi majeur des dirigeants sera de trouver des réponses à ces préoccupations humaines. Rappelons-nous que la satisfaction que nous tirons d'être associés à d'autres dans notre lieu de travail procède d'un désir humain fondamental: le désir de reconnaissance ou d'affiliation. Tout être humain aspire à voir reconnue sa dignité par ses semblables.

Jamais le désir de reconnaissance réciproque ne s'est manifesté avec autant d'ampleur qu'aujourd'hui, où tant d'individus et de travailleurs ressentent le mépris ou l'indifférence comme des atteintes à leur liberté même. Le salaire représente une composante à la reconnaissance de l'individu dans ses fonctions. Plus que jamais, la personne désire recevoir un contact, un échange, une forme de sensibilité humaine; lui demander son opinion, c'est lui remettre en main propre un deuxième salaire.

Les années 80 ont introduit des impératifs de performance, de réussite individuelle et de réalisation personnelle: être bon dans son travail et dans sa vie, être bien dans sa tête et dans son corps. Il n'y a plus place à l'erreur: plus encore, nous n'acceptons pas l'échec, deux valeurs nécessaires à l'actualisation de nos rêves. Nous sommes manipulés par des critères de haute voltige qui nous réduisent à la culpabilité. Cette culpabilité devient inévitablement un formidable levier entre les mains des autres.

Je demande à de nombreuses organisations de cesser, par moments, de penser performance à tout prix. Penser toujours à l'excellence, c'est penser à nos insuffisances ou à notre misère.

Ce premier pas est le seul, peut-être, qu'on puisse demander à l'homme. Le reste est à vivre. Il est une vertu que cet ouvrage a tenté de développer: c'est l'humilité; celle de comprendre, notamment, la richesse de pensée des auteurs cités dans ces pages, et que sur un plan proprement moral, des vertus (tolérance, humour, douceur, générosité) nous font défaut, presque toutes, presque toujours. Nous ne saurions pourtant nous résigner à leur absence ni nous exempter de nos faiblesses.

—

**Les plus généreux ont coutume d'être
les plus humbles.**
DESCARTES
Philosophe

—

Tout est concurrence, lutte pour la vie. Dans cet univers, l'équilibre ne saurait être le bien, le déséquilibre, le mal. Il ne saurait y avoir une voie tracée, un but unique, une seule loi universelle réglant la marche des choses. À chaque instant, il faut un choix.

Si les choses ne vont pas dans le monde, rappelait Carl Jung, quelque chose ne va pas chez moi. Ainsi, si je suis intelligent, je dois d'abord me corriger. Albert Camus disait: «La bêtise insiste toujours, on s'en apercevrait si l'on ne pensait pas toujours à soi[15].»

La fragilité du monde du travail et notre impuissance modifient ainsi radicalement l'ordre de grandeur de nos obligations morales. Nous sommes désormais devenus responsables de chacun d'entre nous et de la portée collective de nos actions.

Comment anticiper dans la complexité? Tout d'abord, cessons toute forme de silence. Disons tout haut ce que nous pensons tout bas dans une volonté constructive

---

15. CAMUS, Albert, *La peste*, Paris, Éditions Gallimard, 1947, p. 41.

de nous exprimer et non simplement pour critiquer ou nous plaindre. «La nature n'a que les individus pour se juger, pour se voir, pour se programmer, pour vouloir, pour rêver. L'individu est irréductible au monde. L'expérience quotidienne que nous avons de la douleur, de l'injustice, de la stupidité, de l'erreur, nous impose de répondre comme si nous en avions l'entière responsabilité[16].» Se soucier des autres, c'est l'espoir, parce que les autres, c'est aussi chacun d'entre nous.

—

Or la menace actuelle n'a pas de visage: l'ennemi, c'est nous-mêmes.
BERTRAND SCHNEIDER
Club de Rome

—

Plus que jamais nous devrons être cultivés, avoir le sens des nuances, connaître plusieurs langues et développer l'aptitude à appréhender la complexité du monde. Il faudra aussi posséder cette sensibilité et cet amour du concret qui manquent parfois aux technocrates, mais aussi avoir un sens aigu de la communication, des nouveaux langages, enfin, avoir un regard international.

---

16. ALBERONI, Francesco, *La Morale*, Paris, Éditions Plon, 1996, p. 23.

Pour fermer la boucle de ce chapitre, je vous laisse sur ce texte de Viviane Forrester qui invite à garder un espoir face à toutes ces promesses, ces disparitions, ces incertitudes. «Serait-il insensé d'espérer enfin, non pas un peu d'amour, si vague, si aisé à déclarer, si satisfait de soi, et qui s'autorise à user de tous les châtiments, mais l'audace d'un sentiment âpre, ingrat, d'une rigueur intraitable et qui se refuse à toute exception: *le respect?*[17]»

—

Les promesses expriment des sentiments d'un instant, elles ne doivent pas nous lier ni contraindre l'avenir, surtout pas les vœux qu'on ne devrait jamais faire.
JEAN-FRANÇOIS SOMAIN
Dernier départ

—

RÉFLEXION

▶ L'impasse est dans nos têtes.
▶ Les solutions sont dans nos cœurs.
▶ Tout être humain nourrit des contradictions.

---

17. FORRESTER, Viviane, *L'horreur économique*, Paris, Éditions Fayard, 1996, p. 205-206.

CHAPITRE 8

Continuer d'apprendre pour mieux vivre ensemble

Ce n'est pas parce que les choses sont difficiles que nous n'osons pas mais parce que nous n'osons pas qu'elles sont difficiles.

SÉNÈQUE

*C*ontinuer d'apprendre, ne se prétendre d'aucune exclusivité, acquérir et découvrir, se doter d'une vive curiosité afin d'avoir une perception plus juste de la réalité, et surtout considérer les choses, les personnes et les événements sans préjugés défavorables, voilà quelques pistes de réflexion que l'on retrouvera dans le prochain chapitre.

L'ENNEMI, C'EST NOUS-MÊMES

La société postmoderne des vingt dernières années est celle du repli sur l'ego, du souci de soi, des histoires personnelles. On ne parcourt plus le monde à la recherche de son prochain: on fouille ses entrailles et sa mémoire en quête de soi. Nous cherchons tellement à nourrir notre ego que nous manifestons un désir profond à l'exagération. Nous restons toujours en retrait, jamais entier et complet dans ce que nous faisons. C'est que nous désirons toujours autre chose. Un sentiment d'insuffisance permanente nous habite... Pourquoi?

Le problème qui se pose à nos démocraties est donc celui de trouver les moyens de faire progresser la responsabilisation des individus. L'individualisme irresponsable est un pur et simple égocentrisme. Mais il existe une autre tendance, que la presse ne montre guère – obnubilée qu'elle est par les excentricités ou les délits – qui concerne la responsabilité. Nos sociétés ne sont donc pas inertes. Si nous sommes sortis de la logique sacrificielle, l'érosion de cette attitude ne signifie pas pour autant qu'il faille sombrer dans un égoïsme absolu. Le bénévolat fleurit ainsi que les milliers d'associations à but non lucratif qui existent en Occident.

Continuer d'apprendre, c'est faire quelque chose de significatif de notre existence, c'est trouver un idéal qui nous dépasse. L'idéal qu'on peut se donner est de faire reculer cet individualisme irresponsable. Aujourd'hui, il faut être un individu, c'est-à-dire être polyvalent, pour survivre. Celui qui n'est pas individu, c'est-à-dire qui n'est ni autonome ni capable d'ouverture, est perdu, déconnecté du réel. Polyvalence d'acquisition de savoir, mobilité dans son engagement, dans ses expériences et ses rencontres. Désormais, ce sont les talents et l'ouverture des individus qui vont définir leur identité et leur capacité d'adaptation.

La première vertu nécessaire à une telle entreprise est, bien sûr, le courage, une vertu qui n'est pas si répandue.

—

**«Quand la prudence est partout,
le courage est nulle part.»
LE CARDINAL MERCIER**

—

Il faut lutter sans cesse contre ce qui, en nous, relève de la paresse et de la facilité alors que seuls l'effort et la lutte devraient nous motiver. Mais si agir, créer et entreprendre sont des activités qui peuvent parfois sembler au-dessus de nos forces, elles n'en indiquent pas moins une finalité: **le souci d'autrui.**

Pour les jeunes, vivre dans la guimauve, c'est prendre le risque d'assumer sa propre déchéance. Ce que savent et maîtrisent les jeunes est devenu secondaire. «L'école nage en pleine confusion. Elle qui a eu pour mission de former des personnes éclairées, de transmettre les bases de la civilisation, la voilà maintenant occupée à préparer un travailleur pour l'industrie! Le savoir-faire a pris le pas sur le savoir-être.» (Gilles Gagné, directeur du département de sociologie de l'Université Laval)

Êtes-vous des parents qui achètent ou qui transmettent? Les enfants savent que les vraies convictions des adultes se jugent plus à leurs actes qu'à leurs propos.

Nombre d'hommes m'ont confié ne connaître l'amour que par les films et les feuilletons, mais ne rien savoir de l'expérience de leur propre père. En grandissant, cette nouvelle génération s'est sentie dépourvue d'un héritage, d'un guide vers l'âge adulte, d'une explication de l'ordre du monde. Le lien entre père et fils s'est rompu. Et, avec lui, l'idée traditionnelle de la masculinité. L'identité masculine est devenue le jouet de la société axée sur la commercialisation.

Après s'être attaqué aux femmes, le virus de la consommation s'en est pris aux hommes, et maintenant aux adolescents et aux enfants. Pour les hommes, il s'agit toujours de compétition, non de contribution. Les hommes n'ont plus le sentiment de participer à un projet qui dépasse leur petit monde. Ils ne peuvent plus exprimer une masculinité qui serait tournée vers un service rendu à la société. Si les femmes, elles, se sentent un peu mieux, c'est justement parce qu'elles ont le sentiment de faire partie d'une mission commune: améliorer le sort des femmes.

Voici quelques préceptes qu'il serait bon de se rappeler: vivre ici et maintenant; accepter de perdre; non pas garder mais regarder; non pas posséder mais connaître; non pas juger mais comprendre; non pas diriger mais supporter; non pas garder mais donner, ce qui suppose que l'on soit libéré de l'égoïsme, donc de l'ego et de l'attente. La dualité existe partout: plaisir et souffrance, chaleur et froid, douceur et brutalité, amour et haine, confiance et méfiance. Il n'y a qu'un seul critère: l'émotion y est-elle présente ou non? Il n'y a de réalité que dans l'action!

Mais, en même temps, l'Occident nous convie à une logique rationnelle et raisonnable. Nous sommes tous un peu fatigués d'être responsables. N'y aurait-il pas un juste équilibre entre les demandes de se voir confier des responsabilités et le fait de préserver la sagesse de la folie? À quand l'abandon, l'exaltation, le droit de se fermer les yeux, de seulement respirer, de cesser de compter, de ne plus tenir compte du temps, de la fréquence? Sauvons-nous, droit devant, en criant, en jubilant, en nous roulant au sol, en nous égarant et faisons-nous couler un bain rempli de pétales de roses. Ne cherchons plus à savoir pourquoi nous faisons les choses. L'émotion suffit. Au début, un mélange de timidité, de honte, de doute, voire de peur, viendra sonner à la porte de votre conscience; attendez! Donnez-vous du temps pour apprivoiser ce malaise. Après avoir passé tant d'années à répondre aux conditionnements de notre société, se donner librement du temps pour soi est devenu un interdit socialement très répandu.

Continuer d'apprendre, c'est inviter tous ses sens à des moments inusités, les attendrir de surprises. **Apprendre à se déprendre**, voilà ce à quoi ce nouveau millénaire devrait nous convier. Apprendre à apprendre. Notre intimité est violée par toutes ces interdictions. Pensez qu'une couleur est une joie pour les yeux. Pensez qu'écouter est bon pour la santé. Qu'une promenade en forêt vous fait du bien. Apprenez à connaître, à faire, mais aussi à être. Donnez-vous le droit à la sensibilité. Remplissez vos poumons de diverses odeurs. Faites de la place au silence. Multipliez les sourires. Éprouvez le simple fait d'exister. Luttez à chaque seconde contre la paresse.

Le dehors est arrivé chez nous. Il frappe à nos frontières et, inexorablement, les franchit. Nulle barricade, nulle douane, nulle gendarmerie ne nous protégera de cette incursion ni n'ajournera bien longtemps ce rendez-vous. Quoi que nous fassions, nous cohabiterons avec l'Autre. Quant à la haine de l'Autre qui saisit parfois nos consciences inquiètes, nous aurons toujours à nous convaincre de la nécessité des contraires, de la diversité et de la volonté d'intégrer la pluralité sous toutes ses formes.

Cet indispensable changement d'attitude débouche sur ce qu'on pourrait appeler «un humanisme paradoxal». Il consiste à s'ouvrir à l'Autre, au pluriel, au multiple, sans rien céder de l'essentiel. Il veut mener bataille sur deux fronts: contre l'intolérance d'un côté et l'oubli de l'autre. Et cela, sur chacun des principes énumérés dans les pages précédentes. Plaider pour l'absolu respect de l'Autre et contre l'indifférence, implique que nous réfléchissions aux paroles que nous prononçons et aux gestes que nous faisons. Plaider pour un minimum de cohésion sociale ne signifie pas d'accepter n'importe quel discours. Plaider pour la considération dans le monde du travail, quel que soit notre rôle, ne veut pas dire que l'on s'en remet à je ne sais quelle planification autoritaire.

Notre rendez-vous avec le monde, la nécessité nouvelle dans laquelle nous sommes d'accueillir la différence, de gérer le multiple, de nous ouvrir à la diversité, tout cela implique néanmoins une conscience nouvelle, soit celle de vivre en communauté. L'oubli ou la haine de soi n'est pas le meilleur chemin vers l'Autre, pas plus que le renoncement à la vérité ou la démagogie du n'importe quoi. La rencontre avec l'Autre commence par la reconnaissance de soi. L'amour du différent implique la quête du semblable.

VIVRE ENSEMBLE

Aujourd'hui, que l'imprévisibilité de l'avenir le plus proche est inévitable! Ainsi nos vies, nos sociétés, nos représentations symboliques sont-elles installées sur des disques compacts en mouvement perpétuel. La dévalorisation du futur et la crise du progrès ne sont pas seules en cause. La réalité change si vite qu'elle nous paraît maintenant insaisissable. Le savoir, parcellisé et complexifié, fluctue sans cesse. Notre connaissance des choses et du monde n'est plus qu'une suite de configurations circonstancielles, qu'une succession de concrétions éphémères, qu'une série d'hypothèses vite balayées. Nos idées vieillissent en six mois. Autrefois, les machines; aujourd'hui, les cerveaux. Nos ordinateurs sont périmés en un trimestre. La nouvelle économie du savoir célébrera la différence et la créativité. Le travailleur qui aura des idées sera roi. La terre tremble et le temps file.

Par sa rapidité, le changement échappe ainsi, non seulement à notre contrôle, mais à la simple capacité que nous avions d'en évaluer – même approximativement – la portée. La réalité cavale maintenant très loin devant nous et devant nos idées. Nous courons derrière elle, penauds et abasourdis. Le réel échappe au pouvoir que nous avions de le penser. À défaut d'être aptes à penser le futur immédiat, nous le rêvons. Rêve ou cauchemar, c'est selon: il y a de la place pour les deux. On nous presse de nous «brancher». On nous annonce l'avènement prochain de l'«homme symbiotique», de la réalité virtuelle, du débarquement sur Mars ou du déchiffrement du code génétique humain. On nous convie à nous ébattre sans plus attendre dans le cyber-espace ou à goûter aux bienfaits de la cyberculture. Certaines de ces promesses nous enflamment. D'autres nous remplissent d'effroi. Malheur à qui refuse de se hâter!

Un discours futuriste, plus échevelé, plus lyrique que jamais, se répand autour de nous. Il ruisselle de folles perspectives, de terreurs obscures et d'hypothèses extravagantes. La technologie tient un rôle de premier plan dans cet imaginaire. L'informatisation de la pla-nète, la numérisation des réalités sociales entraînent quantité d'injonctions culpabilisantes. Le bonheur individuel n'est pas plus au bout du clavier que la société de rêve n'est au bout des réseaux. En d'autres termes, la «connexion» ne crée pas, par magie, le lien social ou le sens personnel.

Il vaut mieux le savoir dès maintenant: ce nouveau siècle sera sans aucun doute cybernétique, connecté et numérisé, mais il n'en affrontera pas moins les mêmes contradictions, les mêmes débats, les mêmes incom-plétudes que celui qui vient de prendre fin.

Comment vivre ensemble dans le futur sans passer par une phase de désordre ou de décomposition? Telle est désormais la question de fond posée à l'être humain de l'an 2000.

La réponse, évidemment, est terriblement com-plexe. Un bref regard en arrière nous en donne un aperçu. Ainsi, l'émergence au XIXe siècle de deux phénomènes majeurs, l'industrialisation et la démocratie, a eu des conséquences contradictoires. Pour ne pas entrer à reculons dans l'avenir, il nous faut impérativement éclairer le présent et réévaluer notre fardeau de voyageur pour le XXIe siècle.

On peut identifier un premier fait majeur dans la conséquence du délire de la consommation, ou plus encore, dans le fait de pousser toujours plus loin les apparences, avec comme résultat la naissance d'un individualisme moderne.

Les conséquences de ce fait sont considérables. Devant un individu devenu autonome, conscient que la vie n'est pas jouée d'avance, convaincu que l'utopie n'est plus une vision pour demain, mais un quotidien qui se réalise, le système représentatif s'est fissuré. Tout ce qui le structurait est ébranlé, voire ruiné. Du coup, les repères traditionnels vacillent et les méthodes évoluent.

Dans l'ordre économique et social, le triomphe de l'économie de marché et la mondialisation sont des révolutions de la même importance. Sous l'impact conjugué de ces deux transformations, les identités collectives souffrent, grincent, et la notion de citoyenneté recule au profit de l'individu autonome. Pendant que le vivre ensemble perd du terrain, le vivre pour soi s'épanouit. Le sophisme de la globalisation, c'est qu'elle discrédite la perspective collective et dilue les nations dans le marché. «L'affaiblissement d'une perception globale, constate Edgar Morin dans un récent ouvrage (*La Tête bien faite*, Seuil), conduit à l'affaiblissement du sens de la responsabilité, chacun tentant à n'être responsable que de sa tâche spécialisée, ainsi qu'à l'affaiblissement de la solidarité, chacun ne percevant plus son lien organique avec la société et ses concitoyens.»

L'affirmation d'un nouvel ordre technologique, la «cybersphère», facilite, elle aussi, l'enfantement de cet individu autonome égoïste. Les nouvelles technologies nous laissent de moins en moins de temps de réaction et de réflexion. Le tempo de l'innovation est devenu fou. À l'avenir, en affaires, ce ne sont plus les gros qui mangeront les petits, mais les rapides qui avaleront les lents. Comment maîtriser un monde technologique où le «long terme» équivaut à six mois et où l'impatience est un mode de production, de consommation et de vie? Dans la «cybersphère», le flux rapide de l'information fait loi, l'immédiateté est un impératif, l'instantanéité un mot d'ordre et l'infidélité (aux idées comme aux produits) un comportement ordinaire. Tous les intermédiaires sont gommés afin d'atteindre directement l'individu dans sa vie privée et l'amener à prendre ses décisions seul, sans se préoccuper de toute démarche collective. Le génie de Bill Gates est d'avoir mis en circulation des produits qui le mettent en contact direct avec chacun d'entre nous et qui cultivent notre narcissisme. *Windows* est une fenêtre sur nous-mêmes tout autant qu'un logiciel *Microsoft*. Internet est le culte du face-à-face, le miracle du *marketing one-to-one* qui efface les intermédiaires et s'adresse au consommateur isolé, à l'individu tout nu, dépouillé de son cadre social au sens large. Aucun domaine ne résiste à cette révolution du raccourci. Pas même la famille! La décision récente de permettre la vente sans ordonnance de la «pilule du lendemain» à des adolescentes est une manifestation concrète de cette mutation qui isole chaque individu pour en faire le seul maître de son destin en dehors de toute structure traditionnelle d'encadrement.

Il n'y a pas de grand complot dans cette conjugaison des trois ordres: politique, économique/social et technologique. Mais, comme l'écrit Alain Finkielkraut dans l'*Ingratitude. Conversations sur notre temps* (Gallimard), «Le progrès n'est plus un arrachement à la tradition, il est notre tradition même. Il ne résulte plus d'une décision, il vit sa vie, automatique et autonome. Il n'est plus maîtrisé, il est irrépressible. Il n'est pas prometteur, il est destinal.» Est-il devenu impossible d'interrompre ce mouvement permanent et de construire en évaluant le progrès? Ce «complot» écrit-il vraiment notre futur? Si ce devenir était acquis d'avance, la nature de la désagrégation qui, alors, nous frapperait, est connue: l'immobilisation par la croissance; l'asphyxie par la fuite en avant que plus rien ni personne ne peut contrôler; le triomphe de l'individu égoïste sur l'individu social.

Si l'on croit avec Bergson que l'avenir dépend de nous, aujourd'hui, l'individu peut harmoniser la liberté de penser et d'agir qu'il a conquise, et la volonté de vivre ensemble, et ce, dans les trois ordres en révolution. Mais la réussite future de «L'Homme mondial»,

239

selon la formule du philosophe Philippe Engelhard (Arléa), **dépend beaucoup de sa capacité à mesurer ses faiblesses et à les corriger.** La principale faille de l'individu issu du XXe siècle est d'avoir érigé les droits de l'homme en une religion sans devoirs. Arrogance inouïe et signe d'infantilisme, il s'imagine être à la fois maître de son destin et victime de celui-ci. Ainsi, dans la difficulté ou face à l'obstacle, recherche-t-il toujours des responsabilités ailleurs. Il désigne des boucs émissaires. Pris en flagrant délit de contradictions et de paradoxes, le voilà confus et il perd de vue l'essentiel, c'est-à-dire prendre soin de soi pour mieux aborder les autres. Les signes de cette ambiguïté sont partout: dans les affaires, qui se caractérisent par une crise de la responsabilité collective; dans les rapports humains; dans le rôle de parent; dans la participation active à la communauté.

L'ambivalence se propage comme une épidémie. On la retrouve chez l'individu qui se prétend autonome, mais, paradoxalement, celui-ci exige toujours plus de droits. Il y a plus de quarante ans, recevant le prix Nobel de littérature, Albert Camus lançait déjà: «Chaque génération, sans doute, se croit vouée à refaire le monde. La mienne sait pourtant qu'elle ne le refera pas. Mais sa tâche est peut-être plus grande. Elle consiste à empêcher que le monde ne se défasse.» Certes, nul ne reviendra sur les conquêtes de l'individu, mais son autonomie doit résister au risque du tribalisme, à un glissement de l'épanouissement souhaitable du pouvoir sur soi vers un développement détestable du pouvoir pour soi.

Le monde de l'organisation du travail exige une éthique de la responsabilité, c'est-à-dire un juste équilibre entre les droits et devoirs. Les employeurs, précisons-le, devront revoir de fond en comble ce qu'ils entendent par le mot «humain».

L'«être social», selon l'expression d'Émile Durkheim, ne peut faire porter exclusivement sur les autres le poids de son existence. Notre devenir individuel et collectif tient donc à l'équilibre que nous saurons recréer entre nous et la société. Nous avons anéanti entre les deux bien des organisations intermédiaires qui jouaient ce rôle, et nous en payons le prix.

Il nous faut réinventer des mécanismes permettant à la société de secouer l'indifférence qui s'est installée dans le monde du travail, et, par ricochet, de promouvoir le respect, dans une société du spectacle où la durée de vie des valeurs n'excède pas celle des produits commerciaux. Ce livre ne comporte pas de règles, de procédures, de structures, mais un thème: Oser! Comme l'écrit Jean-Claude Guillebaud dans *La Refondation du monde* (Seuil): «La prochaine planète ne sera pas notre héritage mais notre création. Le monde qui nous attend n'est pas à conquérir mais à fonder.» Oui, l'être humain de l'an 2000, c'est bien nous!

RÉFLEXION

▶ Osez changer!

CHAPITRE 9

Être heureux

Ce n'est point par des plaisirs entassés qu'on est heureux,
mais par un état permanent qui n'est point composé
d'actes distincts.

ROUSSEAU

*L*e bonheur n'est plus une idée neuve en Occident. Celle-ci est devenue une notion d'autant plus générale qu'elle a un sens infiniment vague. Être heureux serait un état qui correspondrait à la satisfaction de tous nos désirs et de toutes nos aspirations selon les lois de la consommation et de la production contemporaine. Le monde ne cesse de faire proliférer les espaces de divertissement, animé par une volonté d'hédonisme jamais vue auparavant. Je rajouterai: la société post-moderne dans laquelle nous vivons nous conduit directement à une logique narcissique, c'est-à-dire centrée sur l'individualité, le détachement et l'indifférence, avec comme conséquence particulière l'oubli du passé, soit les valeurs, l'universel, les règles éducatives, l'engagement, le rapport à la collectivité. Il s'ensuit un sentiment de morosité, de torpeur et d'ennui général qui nous fait oublier que ce bonheur si souvent invoqué, si souvent recherché, peut posséder un contenu et une signification. Je persiste à croire que ce sont les désordres de type narcissique qui constituent la majeure partie des troubles psychiques de notre société caractérisé par un sentiment de vide intérieur et d'absurdité face à la vie, une incapacité à sentir les choses et les êtres. La conception selon laquelle notre joie profonde dépendrait de circonstances favorables, de conditions

matérielles plus agréables ou de rencontres exception-
nelles reste notre croyance la plus forte, notre *credo* le
plus obstiné. Or, depuis l'Antiquité, la pensée philo-
sophique n'a cessé d'enseigner le contraire, à savoir que
l'origine de cet état de relative satisfaction tant désirée
ne peut être qu'en nous.

S'adapter au monde qui change, à «ce contre quoi
nous ne pouvons strictement rien», et qui ne dépend
en rien de nous, c'est une chose. Mais je déplore la fin
d'un certain nombre de stabilités. Les gens âgés se
demandent comment, il y a cinquante ans, on pouvait
se dire plus heureux en vivant dans des conditions
matérielles inférieures. Peut-être parce que les relations à l'au-delà, aux autres, étaient différentes et ins-
piraient une meilleure satisfaction personnelle? Tenir
sa place dans un réseau chaleureux familial, amical,
social, c'était une conception du bonheur. Serait-ce
que la sensibilité aux rapports humains a été remplacée
par la sensibilité thérapeutique (gymnastique orien-
tale, techniques d'expressions, méditations)? Qu'en
pensez-vous?

Vous savez, la génération des moins de 30 ans croit
que le bonheur se traduit par une révolte. Au fond, les
50-60 ans laissent en héritage une ironie condescen-
dante, «c'est la faute à personne», avec comme conséquence que les jeunes d'aujourd'hui sont incapables
d'adhérer à quoi que ce soit, incapables d'aimer ou de
s'engager et expriment leur réalité sur des bannières de
plus en plus téléfériques, pour ne pas dire paraboliques
(bonheur en solo, solitude revendiquée, *full-cool*,

interdit d'interdire, culture du hip-hop, accros du portable, autonomie provisoire, temps partiel, éducation. com). Ce problème est crucial, car il touche à la succession: comment une génération peut-elle advenir si on ne peut remettre en cause l'héritage des pères? Au lieu d'ignorer tous ces gens ou d'attendre qu'ils aient la dérive à proposer, ils ne sont pas fous de résister à l'idéologie ambiante, sa compétitivité forcenée, son stress pathologique, son désespoir chronique. Ils ajoutent: «Nous sommes jetables, qu'on ne nous demande pas d'être fidèles!»

Au fond du cœur, ils n'ont pas un village mais un réseau, celui qu'ils ont composé à leur guise et qui exprime leur véritable identité, changeante et incertaine, alimentée aux sources multiples de la mondialisation des signes et de la multiplication des technologies. Ils ont passé plus de temps avec la télévision qu'avec leur mère et vivent dans la société du spectacle depuis et avant leur naissance. Ils sont l'expression même de cet «âge de l'accès» dont parle Rifkin dans son livre *L'Âge de l'accès* (Boréal, 2000). **On n'est plus enraciné, on est branché.** On choisit à la carte ses courants musicaux, ses marques, ses réseaux d'amis et d'amours, ses fêtes, ses voyages et ses filières de consommation. On filtre par des boîtes vocales et des codes d'accès, bien réels sur le portable ou à la porte de l'immeuble, ou bien symboliques par une savante stratégie d'évitement, ceux qu'on veut convier et ceux qu'on laisse de côté, sans conflit ni regret. Comme ils surfent sur le Net, les moins de 30 ans surfent sur la vie.

Le malheur que beaucoup de gens ressentent aujourd'hui vient de notre perte de la maîtrise du développement. Jadis, une grande partie de ce qui arrivait aux hommes était voulu; aujourd'hui, la proportion de ce que nous n'avons pas voulu est croissante. La globalisation impose à notre époque de penser deux phénomènes considérables : la finitude du monde et la maîtrise de la technique. Heidegger disait: «L'humain n'est plus la solution, c'est le problème!»

Mais au fait, quel âge avez-vous vraiment? Si l'on vous dit maturité, faites-vous plutôt rimer le mot avec incommodité ou liberté? Ceux que l'idée de devenir adulte effraie ou ennuie y voient la fin de l'insouciance, du jeu, et le début des renoncements. «Il n'y a pas de grandes personnes», avait un jour répondu à André Malraux un prêtre que l'écrivain interrogeait sur ce qu'il avait appris des humains en quarante ans de confessions. Et nous-mêmes, serions-nous capables de donner une définition précise de l'adulte? «Un enfant gonflé d'âge», lançait, sur le tard, Simone de Beauvoir. Un personnage raisonnable, donc ennuyeux, qui incarne les règles, les limites, les interdits, pensent nombre de nos enfants. La référence à l'adulte est devenue tellement brouillée que l'on en vient même à parler d'une classe d'âge imprévue, les 15-30 ans. Plus vraiment de frontières, donc, entre les adolescents et les «jeunes adultes» qui continuent d'écouter les mêmes tubes, d'enfiler les mêmes baskets… et de vivre chez leurs parents.

Face à la vie, nous avons tôt fait de réaliser qu'il nous est tout aussi impossible de refuser d'être adulte que de le devenir complètement. Et c'est tant mieux. L'épanouissement personnel ne consiste-t-il pas à se connaître, au point de savoir doser responsabilité et insouciance, solitude et intimité, ouverture aux autres et distance nécessaire? Être adulte, c'est aussi savoir perdre ses défenses, préserver sa fragilité, être capable de pardonner et apprendre à vivre avec ses incertitudes. Pour ma part, j'ai franchi une étape lorsque je suis devenu moins dépendant du regard des autres.

«Nous souhaitons la vérité et ne trouvons en nous qu'incertitude» (Pascal). Sans doute, les choses sont-elles plus complexes. La mélancolie a ses délices et ses vérités. C'est à l'intérieur de la contrainte horaire que fleurissent désormais les pathologies. En administrant des tranquillisants, tels les circuits virtuels, les cartes de crédit, les images, nous aggravons la solitude. Les années 2000 proposent un défi de taille, soit celui de prendre le risque du quotidien, oser le défier et ne pas en sortir trop vite vaincu, abîmé. Vivre sans temps mort, voilà ce dont il s'agit, ne rien sentir, ne rien dire, surtout ne pas dire non, ne laisser aucune place aux silences. N'est-ce pas tragique! Les statistiques sur l'espérance de vie sont à la hausse, mais le débordement de nos folies gagne du terrain avec, comme devise, celle de rechercher des intensités partout, de succomber sous le poids des interdits, de ne rien manquer et, pour emprunter une phrase de

Platon, «de s'arracher à son existence quotidienne à ses dépendances».

Tout est devenu si compliqué. Marcher, s'évader, ralentir est loin d'être simple pour la majeure partie des Occidentaux que nous sommes. Nous courons sans cesse, nous sommes si angoissés de l'intérieur que nous préférons oublier dans les délires de la consommation, du superflu, nous endormir dans une foule d'objets et de substances. En croyant nous sentir plus libres, nous avons perdu aussi la sécurité, nous sommes entrés dans l'ère du tourment perpétuel. Nous devons sans cesse prouver ce que nous sommes. L'abondance, pourquoi faire? Pour chasser l'inquiétude, pour nous délasser de nos préoccupations, pour être un remède aux tensions et à la solitude. Jolie duperie!

Comment vivre à travers ces bouleversements, ces changements, ces déconnexions? Nous avons drogué le comportement de l'intérieur pour laisser paraître une image de l'extérieur. À quoi peut-on attribuer cette désolation? Au chambardement des structures, à la rupture des valeurs, à la recherche ultime des excès, au rythme fou dans lequel nous vivons, à l'obsession du portefeuille, aux nouvelles technologies et quoi encore?

La vie est donc moins simple qu'il n'y paraît. Il y a de l'ambivalence, de l'amour, de la peur, de la terreur, même de la frustration vis-à-vis des interdits, de l'envie. Il ne faut plus se fier aux apparences, mais découvrir le sens caché d'un geste ou d'une parole. Sous l'insulte perce peut-être la déclaration d'amour. Sous le rire, un cri de détresse.

Nous sommes passés d'une société obéissante, où l'individu était socialisé par des règles de discipline et d'interdits, à une société d'action, où il s'agit de savoir jusqu'où on peut aller. Cela s'est accompagné d'une augmentation des exigences d'implication personnelle.

Dans cet univers de l'individualité, voire de l'égoïsme grandissant, chacun est supposé s'appuyer sur ses ressources internes. Si la névrose renvoyait au désir, la dépression met en relief les obstacles à l'action. De là découle ce besoin si pressant de savoir, de creuser son passé, de tenter de nouvelles expériences, de séduire tout ce qui respire, de consommer tout ce qui est interdit, d'être psychanalysé. «Ils ont tellement ruminé leur peine sur le divan que l'analyse est devenue plus importante que leur vie!» regrette François Roustang, un psychanalyste désabusé et hors norme, qui dénonce ces excès dans un livre passionnant, *La fin de la plainte* (Odile Jacob, 2000). Il ajoute: «À force d'analyser nos pensées et nos émotions, le monde des fantasmes et des rêves devient plus important que la banalité de la vie quotidienne. Et là, souvent, la dépression apparaît.»

La morale chrétienne («il faut, il ne faut pas», «croire et ne pas croire», «faire et ne pas faire») a peut-être trop insisté sur la culpabilité, d'où le nombre grandissant d'adeptes préférant des pratiques de méditation ou encore des méthodes qui transforment de l'intérieur les émotions.

Notre nouvelle religion s'intitule l'économie élevée au rang de spiritualité suprême. Elle tient désormais le rôle de l'absolu. C'est avec ses critères que s'évaluent notre contentement et notre inquiétude. Bref, elle devient notre destin au lieu de rester un service. De là provient la confusion moderne entre confort, bien-être et bonheur et notre vénération pour l'argent. Les sociétés démocratiques modernes ont poussé le goût du bien-être jusqu'à le confondre avec le bonheur.

C'est toute une éthique du paraître bien dans sa peau qui nous dirige et que soutiennent dans leur ébriété souriante la publicité et les marchandises. De la même façon, l'obsession de la santé tend à médicaliser chaque instant de la vie au lieu de nous autoriser une agréable insouciance.

L'ère du divertissement, du paraître, de la beauté! Voilà la glissade dans laquelle nous négocions de plus en plus nos angoisses ou du moins celles qui talonnent nos consciences, le quotidien de nos pensées, qui cherchent à pénétrer nos entrailles, chaque centimètre de notre peau: il faut une allure, une gueule, des objets, des costumes. Tout sur mesure: la dictature de l'image. Être humain aujourd'hui, pour une majeure partie, c'est choisir entre deux sortes de névroses: celle de l'interdit et celle de l'insuffisance. Une fatigue permanente d'être soi qui trouve preneur dans la consommation et dans l'immédiateté. Une tension permanente suivie d'insuffisances permanentes. À force de se préoccuper de sa peau, on devient, comme Narcisse, amoureux de sa propre image et on lui substitue l'intérêt que devraient avoir les choses et les humains. Il s'ensuit que la réalité n'a plus de consistance. Cette manière d'être se présente comme une maladie de la responsabilité dans laquelle domine le sentiment d'insuffisance.

Toutes ces promesses véhiculées par les marchands de la consommation (prévention, chirurgie, hormones, molécules miracles) finissent par faire de nous des êtres humains embrumés par la confusion ou le mensonge. Le fossé qui sépare les promesses des résultats est toujours gigantesque. Même dans les sociétés abondantes comme les nôtres, où règne une prospérité jamais vue nulle part dans l'histoire de l'humanité, le sentiment qui domine est l'insatisfaction, justement parce que le monde de la promesse est tellement démesuré, et que les humains réclament davantage. Tout le monde veut être unique, à nul autre pareil, et comme mon voisin a la même revendication que moi, cela finit par créer des sociétés de semblables assez importantes. Serait-il sage de rappeler que le dosage conserve alors que l'opulence détruit?

Le bonheur, écrit Marmontel, «est dans le silence des passions, dans l'équilibre et le repos». Il consiste, pour Rousseau, à «se rapprocher de soi». L'auteur de *Candide* (Voltaire) sait que l'homme cherche perpétuellement un moyen terme entre les léthargies de l'ennui et les convulsions de l'inquiétude. «Je n'ai jamais cherché le bonheur; qui désire le bonheur? J'ai cherché le plaisir.» (Oscar Wilde) Oui, la question du bonheur est peut-être moins importante que celle du désir. «Ce n'est pas dans la jouissance que consiste le bonheur, c'est dans le désir, c'est à briser les freins qu'on oppose à ce désir.» (Sade) Si le plaisir est égoïste, le bonheur, pour Gide, ne peut désormais qu'être altruiste, empreint de générosité et de désintéressement. «Être heureux, c'est posséder, pour un temps donné, la certitude sereine que tout a un sens, quand soudain la vie nous réconforte et se montre fraternelle» (Franco Ferrucci). Le bonheur suppose sans doute toujours quelque inquiétude, quelque passion, une pointe de douleur qui nous éveille à nous-mêmes. Peut-être est-ce aussi une attitude: nous aimerions paraître heureux, selon l'adage qu'il vaut mieux faire envie que pitié. Certes, les discours divergent, se contredisent, s'annulent, ils s'opposent, s'interrogent, se complètent, mais malgré des voies d'accès différentes, le but reste le même pour tous: il s'agit de rendre possible une existence réussie.

—

**Quelle est la marque de la liberté réalisée?
Ne plus rougir de soi.**
NIETZSCHE
Le Gai savoir

—

Kant a abordé le problème du bonheur avec la plus grande prudence et en procédant à une série d'éliminations de fausses certitudes. En effet, si le bonheur est une notion susceptible d'une certaine consistance, il ne peut nullement être réductible au plaisir ou à la jouissance immédiate. Par ailleurs, l'idée selon laquelle il pourrait exister des critères, ou plus exactement des principes qui permettraient d'établir avec objectivité ce qu'est à proprement parler le bonheur, est mise en pièces. Et cela, parce que deux instances s'avèrent inaptes à répondre à notre désir d'être heureux: la raison (recherche toujours inachevée) et le monde empirique (l'aisance matérielle, la fortune, l'amour). Ce qui ne signifie pas pour autant que ces instances soient négligeables, mais elles ne constituent nullement une condition nécessaire et suffisante pour faire naître cet état de joie: elles sont hors de nous, contingentes et infiniment fragiles. En réalité, le bonheur, cette notion si vague et si valorisée, n'est rien d'autre, selon Kant, qu'un «idéal, non de la raison, mais de l'imagination», c'est-à-dire une aspiration qui perd toute référence à la réalité. Dès lors, on ne peut jamais savoir précisément ce que veut ce désir de bonheur puisqu'il échappe sans cesse à toute objectivation.

Il est en fait impossible de savoir précisément ce que l'on veut lorsque nous disons que nous voulons être heureux. Comprendre notre propre volonté de bonheur, c'est nécessairement être renvoyé aux structures de notre subjectivité, c'est-à-dire à ce que la plupart des hommes s'efforcent de fuir et d'oublier dès qu'ils se voient confrontés à eux-mêmes. C'est pourquoi toute philosophie qui prétend enseigner un art de vivre ou nous introduire à l'on ne sait quelle vie bienheureuse en s'appuyant sur des principes est niaise et méconnaît ses propres limites. Elle peut tout au plus s'en tenir à des conseils généraux et à des préceptes utiles.

Dans l'ordre des conseils pratiques, Kant est sans doute moins catégorique que Schopenhauer. Les soins du corps appartiennent pour lui aux conditions nécessaires d'une vie sereine. Comme le dit Schopenhauer: «En règle générale, les neuf dixièmes de notre bonheur reposent exclusivement sur la santé.» Comme le fera Nietzsche, il accorde une grande importance aux règles d'hygiène et aux exercices qui peuvent prévenir ce que nous nommons aujourd'hui les états dépressifs. L'ancrage du bonheur dans la matérialité sensorielle et sociale ne doit pas faire oublier que l'être humain est un étrange animal et qu'il se nourrit d'illusions autant que de réalités. Pour le philosophe, elle repose d'abord sur une détermination clairement négative, en ce sens que le plus urgent est d'échapper à la souffrance et à l'ennui, qui sont les deux pôles de l'existence, selon certains. En d'autres termes, la vie elle-même est une source inépuisable d'illusions et de duperies. Or, de même que le principe de plaisir de Freud exerce une pression impitoyable sur la vie psychique, le vouloir-vivre soumet l'individu à sa tyrannie. D'où le primat de la souffrance et de l'ennui sur toute existence. Là où Freud nous propose de «faire avec nos névroses quotidiennes», Jung suggère de nous «réaliser». Le problème immédiat de la vie n'est donc plus la recherche du bonheur, mais la quête systématique de tous les moyens qui peuvent tenir éloignés la souffrance et l'ennui. Être heureux, c'est ne pas souffrir, ne pas avoir à supporter le fond d'ignorance et d'imbécillité de la plupart des hommes. En résumé:

«Pour ne pas devenir très malheureux, le moyen le plus certain est de ne pas demander à être très heureux.» (Schopenhauer)

De nos jours, le problème s'est déplacé: nous n'avons n'a plus la hantise de la culpabilité, mais la hantise de la médiocrité. C'est un des risques liés au développement personnel: il peut être un art du bonheur véritable, mais peut aussi dégénérer dans une suite informe de gadgets et de techniques, que nous consommons à outrance sans jamais atteindre ce que nous cherchons. La banalité triomphe à force de ne pas se questionner, à ne pas sortir de nous-mêmes. Nous dépensons, comme disait Tocqueville, une énergie énorme à des choses médiocres.

—

Il est vrai que tout a été dit, mais puisque personne n'écoutait, il va falloir tout répéter.
ANDRÉ GIDE

—

Prenons, par exemple, les enfants. Si nous ne convenons pas à l'école comme à la maison d'apporter une certaine rigueur de pensée au détriment de la facilité, de convenir d'un équilibre entre les forces contraires (confiance-méfiance, autonomie-doute, initiative-culpabilité, productivité-infériorité, identité-confusion) et un apprentissage de la gestion des risques et des contradictions, il y a un risque de basculer. Les parents doivent accepter qu'un enfant sans limites n'est ni libre, ni heureux. À force de tout donner à des enfants, un sentiment d'insuffisance permanente se développe et conduit inévitablement vers un comportement du moindre effort, car, pour étayer la construction de l'identité, les limites sont nécessaires. Sans qu'il soit besoin de discours, les enfants savent pertinemment que le fait de limiter la satisfaction d'un certain nombre de leurs désirs, de se comporter selon les règles imposées par leurs parents, leur assure l'amour de ceux-ci. Les limites posées par les adultes renforcent le travail de différenciation qui permet à l'enfant d'acquérir une maîtrise de ses désirs. Ce qu'il accepte de faire ou de ne pas faire n'est pas confondu avec l'écrasement de tout désir. Le lien entre l'enfant et les parents se construit ainsi, non pas dans la confusion entre les désirs des uns et ceux des autres, mais dans le partage de valeurs communes qui sont nommables, repérables, et, de ce fait, représentent une médiation possible, source de critique et d'évolution. Dans une société aux valeurs incertaines, l'enfant est amené à faire de l'incertitude un idéal. Les jeunes «nous cherchent». Parce qu'ils sont, intensément, en recherche, leur demande ne peut s'exprimer que par le refus ou la provocation. Ce qui est fondamental pour un enfant, c'est le climat de la vie quotidienne qui va lui permettre de créer une relation de familiarité avec le monde. Cette confiance autorise à grandir et à explorer le monde sans la crainte d'être envahi et sans l'angoisse de perdre ceux que l'on aime. L'essentiel de l'éducation scolaire ne consiste pas tant à donner un contenu, qu'à soutenir l'appétit de vivre de tout enfant. Et enfin, assurez-vous que le bon (caresses, douceur, contacts, règles éducatives) soit suffisamment présent pour que le mauvais puisse être affronté.

—

L'enfant a toujours l'intuition de son histoire. Si la vérité lui est dite, cette vérité le construit. FRANÇOISE DOLTO

—

Or, si le mot bonheur peut avoir un sens, c'est dans l'effort pour surmonter toutes les forces qui nous entraînent vers le renoncement, la lamentation et le pessimisme. Pour reprendre les propos de l'auteur François Roustang, psychanalyste, «La souffrance naît de la plainte.» La faiblesse du dernier homme, de l'homme dominant, est de ne pas voir que la seule authentique félicité n'est possible que dans la confrontation avec la souffrance et l'incertitude propre à la vie elle-même. Croire que la fuite devant les figures les plus négatives telles que la maladie, le néant de la vieillesse, la mort, l'angoisse, est une condition nécessaire du bonheur, c'est l'aveu d'une faiblesse essentielle, l'illusion de ceux qui ne supportent la vie qu'en recourant aux valeurs les plus sombres. Le désir de bonheur moyen préfère toujours les masques et les faux-semblants à une authenticité à l'égard de soi et des autres. Je suis sensible à cette idée que les dysfonctionnements de notre société sont dus, pour une large part, à la difficulté qu'ont les individus d'être au clair avec leurs émotions, de les canaliser, les nommer, et les reconnaître chez les autres. Heureux, je crois, qui ne s'attache à rien sur la terre, qui impose un silence aux excès et préserve une ouverture à travers les constantes mobilités. Le secret du bonheur: ne jamais rien dramatiser.

Le vrai bonheur, la sérénité ne peut naître qu'au terme d'un combat de soi contre soi, comme l'une des plus hautes expressions de la force. Car, contrairement à Schopenhauer qui est surtout attentif à ce qui peut rendre supportable le malheur d'exister, Nietzsche veut atteindre le bonheur dans sa pleine positivité, c'est-à-dire dans un assentiment ultime à la réalité. Le oui de l'affirmation, le pouvoir d'accepter finalement la totalité des épreuves, des tourments et des souffrances que l'existence nous inflige, doit aboutir à un dépassement de tout ce qui tend en nous vers le déclin. Le bonheur n'a de sens que dans la mesure où il refuse tous les idéaux illusoires et toutes les formes de démission.

Tout le monde est en quête du bonheur, c'est-à-dire d'un état de satisfaction complète et permanente. Mais pour atteindre cet idéal, il faut agir, au sens où Aristote définit le bonheur comme la «réussite de mes actions». Or, le mouvement crée l'inquiétude, le dérangement. Donc le bonheur, qui réside dans la tranquillité de l'âme, se détruit par les moyens de l'atteindre. À travers le battement du plaisir se cache son contraire soit l'ennui, le vide, la morosité. Quoique bienfaisante par moment, la solitude peut aussi nous ordonner d'occuper tout l'espace pour nous inviter à réfléchir, à faire le tri dans nos nombreuses préoccupations. Au fond, serait-ce que nous sommes tiraillés entre le désir de bien faire et le désir de faire simple? Et que dire d'un jardin d'été, d'une promenade entre deux ponts, de tout le bonheur simple d'un lever du jour, d'un vague rayon de soleil, de petits riens insignifiants, d'un fruit lentement savouré est comme un cadeau du ciel... le bonheur puise sa force dans le retour des choses, si près de nous et en même temps si loin derrière. Le bonheur n'a ni démarche conséquente, ni mode d'emploi, mais plutôt une incitation aux déplacements, aux absences, des manières d'habiter les marges, d'inscrire les mirages, de sortir du cadre.

Exister, c'est insister. Payer indéfiniment l'audace de parler à la première personne. Vouloir être soi, ce n'est pas seulement tenter de se connaître, c'est aspirer à la reconnaissance des autres, à se soucier des autres. Nous sommes tous des ego dont l'amour-propre est à vif. Hier croyances, coutumes, simplicité n'étaient pas que d'odieuses vertus; elles protégeaient contre le hasard et les aléas, garantissaient, en échange de l'obéissance aux lois du groupe ou de la communauté, une certaine tranquillité. Insister pour ne pas être manipulé. Peut-être nous laissons-nous éblouir pour n'avoir pas à regarder, à questionner, voire à réfléchir. Un voile de plus en plus épais sépare de ce qu'il y aurait à entreprendre, car nous pensons n'en savoir jamais

assez ou encore ne sommes-nous pas suffisamment hyp-
notisés pour ne pas dire engourdis avant d'engager une
action. Le bonheur ne peut donc pas relever d'une
forme d'évasion, car on ne s'évade pas de la vie. Il exige
une prise en mains de la totalité des conditions qui nous
sont données pour tenter de les surmonter par la création de nouvelles valeurs, par un mouvement qui tend
à transfigurer notre existence empirique vers d'autres
forces, d'autres degrés d'intensification de la vie.

Bien que l'homme veuille le bonheur, Pascal soup-
çonne celui-ci d'être incapable de concevoir les
actions nécessaires pour y accéder, il précise: «Voilà
l'état où les hommes sont aujourd'hui, il leur reste
quelque instinct impuissant du bonheur de leur
première nature, et ils sont plongés dans les misères de
leur aveuglement et de leur concupiscence, qui est
devenue leur seconde nature.» Écrite au XVIIᵉ siècle,
cette pensée peut s'appliquer aujourd'hui sans le
moindre doute. Ce qui est grave est que cette position
de Pascal n'a pas le caractère d'une pensée acciden-
telle. Elle touche aux fondements de son apologie, qui
a un caractère violent, dramatique. L'homme, dès sa
naissance, est enveloppé d'ignorance et de péché, il ne
peut être sauvé que par un coup de grâce; sa propre
coopération, sinon négligeable, consiste surtout, plus
que dans la raison, dans un mouvement affectif, un
rapport d'ouverture à soi et aux autres.

Quant au bonheur de tous, il supposera non pas, et
contre toute attente, le règne de l'esprit communau-
taire, mais l'aménagement d'une série de moyens

pratiques qui ont comme objectif de raffiner, de polir nos manières d'être à l'égard des autres. «Mon bonheur est d'augmenter celui des autres. J'ai besoin du bonheur de tous pour être heureux.» (André Gide) La voie du bonheur s'ouvre ainsi à ceux qui ont œuvré pour le bien du prochain.

Si la réflexion veut en rendre compte et définir le bonheur, ce dernier peut être bilan, plénitude, conscience de soi ou bien intensité. C'est dire qu'il représente un équilibre ou un compromis entre des exigences contraires: l'unité et la diversité, l'expérience immédiate et la construction rationnelle, l'impulsion personnelle et l'ordre collectif. On ne saurait reprocher aux individus du XXᵉ siècle d'avoir appauvri le sens du mot bonheur. S'il fallait formuler contre eux un grief, ce serait plutôt d'y avoir logé maintes contradictions, de solides ambiguïtés et une rupture de la simplicité.

RÉFLEXION

▶ Le bonheur consiste à ne faire qu'une chose à la fois.

CHAPITRE 10

Dites-moi...

*De par leur nature, les hommes sont
presque semblables. De par la pratique, ils se
trouvent à des kilomètres de distance.*

CONFUCIUS, philosophe

*V*olontairement, ce chapitre constitue une invitation à revoir vos attitudes. Il vous engage à avancer sans retenue. Un appel à votre conscience, à votre délinquance, à vos folies vous est adressé. Il vous convoque dans vos contradictions, vos vérités et vos mensonges. De tout cœur, j'espère que le texte qui suit vous incitera à prendre de nouveaux risques, à adopter de nouvelles attitudes et à générer de nouvelles réflexions.

DITES-MOI...
Comment vivez-vous le quotidien?

Trouvez-vous normal que quelqu'un s'installe pour assister à un spectacle en plein air, sans bouger?

Ce matin, en rentrant au travail, combien d'entre vous avaient les yeux rivés au plancher, évitant les regards au lieu de lever la tête et de sourire à votre entourage?

—

Je sais que le sourire est plus sûr qu'une carabine pour toucher quelqu'un jusqu'au cœur.
ROBERT DICKSON
Or(é)alité

—

Vous est-il arrivé aujourd'hui de déambuler dans la rue, tellement noyé dans vos préoccupations que vous en devenez inconscient et semblable à un automate?

Dans un ascenseur, les yeux pointés vers la lumière qui indique les étages, vous arrive-t-il de ne même pas remarquer qu'il y a des gens autour de vous? Quel est votre diagnostic? Indifférence, gêne, repli sur soi?

À quoi sert votre bicyclette stationnaire? À vous couper du monde, un baladeur sur les oreilles, un téléphone cellulaire en main, le nez plongé dans un journal ou les yeux rivés à la télévision?

Si je ne pense qu'à moi, qui suis-je?

> Notre souffrance, à nous autres Occidentaux, c'est de tout rapporter à cette infime unité, ce minuscule atome social, l'individu, armé d'un seul flambeau, sa liberté, riche d'une seule ambition, lui-même[1].

Attention, vous êtes manipulé? D'ailleurs, nous le sommes tous. Tout comme nous manipulons les autres à notre tour, sans en avoir forcément conscience. Pourquoi? Par moments, nous procédons ainsi pour obtenir de l'autre qu'il satisfasse nos désirs. En d'autres occasions, nous cherchons par ces comportements à recevoir de l'attention. Toutefois, plus souvent qu'autrement, cette façon d'être sème en nous le doute et le malaise, et mine l'image que nous avons de nous-

---

1. BRUCKNER, Pascal, *La tentation de l'innocence*, Paris, Éditions Grasset & Fasquelle, 1995, p. 37.

mêmes. Tout se passe comme si nous avions créé un personnage qui échappe de plus en plus à notre influence. Dans notre conscience, une vision négative des événements de la vie semble s'imposer, malgré nous.

Un examen de conscience s'impose. Clarifiez votre intérieur, épurez votre conscience, rejetez l'indifférence au quotidien, sans chercher à vous justifier. Il est temps de remettre les pendules à l'heure du bien-être! Dites bonjour; ouvrez la porte à la personne derrière vous; saluez les gens; retrouvez confiance en vos perceptions; comprenez vos dépendances; accueillez vos sensations; apprenez le calme; renoncez à une image idéale de vous-même. Pourquoi ne pas vous libérer de ce regard extérieur afin de gagner un bien précieux: votre liberté?

DITES-MOI...
Le mot collectivité vous dérange-t-il?

Est-ce bien cela un groupe... des individus qui oublient de demander l'opinion des autres?

Comment est-il possible de nous connaître nous-mêmes, par nous-mêmes? N'avons-nous pas besoin des autres?

Pourquoi toujours accuser, toujours dénoncer son voisin, son collègue, son ami, son conjoint?

—

**Ceux qui se livrent aux commérages se
retrouvent associés aux caractéristiques
qu'ils décrivent. Ils finissent aussi par faire
l'objet d'un transfert de ces caractéristiques
sur eux-mêmes.**
DR JOHN SKOWRONSKI

—

Vous êtes libre: choisissez, c'est-à-dire inventez.

«Ce mal, l'unique mal ou l'origine de tous, c'est
l'égoïsme[2].»

«Sans oser nous l'avouer, nous vivions avec autrui
sur des bases fausses[3].»

Tout glisse dans une indifférence décontractée. Les
individus sont uniquement attentifs à eux-mêmes.
Séduire, abuser par le jeu des apparences, voilà l'ampleur de la stratégie de la séduction dans les relations
humaines. Une attitude qui invite à l'indifférence, au
désengagement émotionnel. Pourquoi ne pas vous
efforcer d'instaurer un climat sécurisant, de faciliter
l'expression de vos émotions et de vous y fier pour
développer votre autonomie et améliorer vos relations
avec les autres?

La pauvreté moderne, c'est le manque d'écoute.

---

2. COMTE-SPONVILLE, André, *Impromptus*, Paris, Éditions
   P.U.F., 1996, p. 29.
3. VERGELY, Bertrand, *La souffrance*, Paris, Éditions
   Gallimard, 1997, p. 14.

—

**La réalité de l'autre personne n'est pas dans
ce qu'elle dévoile, mais au contraire dans ce
qu'elle ne dévoile pas. C'est pourquoi, si vous
désirez réellement la comprendre,
faites attention non pas à ce qu'elle dit,
mais plutôt à ce qu'elle ne dit pas.**
KAHLIL GIBRAN
Écrivain libanais

—

N'est-il pas important de découvrir comment écouter?

Serait-il sage de cesser de camoufler nos moments sombres?

L'autorité empêche-t-elle d'apprendre?

La personne qui dit: «Je veux changer, dites-moi comment m'y prendre!», peut paraître très profondément sincère et sérieuse, mais elle ne l'est pas.

Il est à la recherche d'une autorité, dans l'espoir qu'elle mettrait de l'ordre dans sa vie. Mais son ordre intérieur pourrait-il jamais être instauré par une autorité? Un ordre imposé du dehors provoque presque toujours un désordre[4].

---

4. KRISHNAMURTI, *Se libérer du connu*, Éditions Stock, 1994, p. 16.

Les hommes avancent dans le brouillard, mais, comme le disait Péguy à l'aube d'un siècle placé tout entier sous le signe de la démystification, ce sont les imbéciles qui font le malin[5].

DITES-MOI... L'intelligence, c'est quoi?

L'intelligence est-elle un cadeau empoisonné?

Le meilleur moyen de résoudre un problème, c'est de s'en amuser. Qu'en pensez-vous?

> Retrouver la capacité de percevoir ses propres plaisirs est le meilleur moyen de redécouvrir la partie de soi que l'on a sacrifiée, même à l'âge adulte[6].

L'esprit exige souvent la preuve de sa solidité. L'intelligence de l'âme, elle, a besoin de se rassurer autrement. Elle aime le doute, le questionnement, l'émotion, l'élégance. L'intelligence strictement rationnelle invite à la prudence, car elle a besoin de son contraire: l'émotion. Les sentiments s'avèrent essentiels à la pensée, et la pensée aux sentiments.

---

5. FINKIELKRAUT, Alain, *L'humanité perdue*, Paris, Éditions du Seuil, 1996, p. 136.
6. MASLOW, Abraham H., *Vers une psychologie de l'être*, Paris, Éditions Fayard, 1972, p. 66.

—

L'expérience m'avait appris que le moins de choses on connaît, le mieux c'est. Quand on se tient bien informé de tout ce qui se passe, on se retrouve enserré dans un réseau étouffant de décisions et de politiques qui cherche à vous enlever encore une tranche de votre liberté, de votre sérénité, de votre temps, de votre bonheur.
JEAN-FRANÇOIS SOMAIN
Les Grimaces

—

Dans cheminement, il y a le mot «mine». Ça prouve que ça peut sauter n'importe quand[7]!

DITES-MOI… Qu'en est-il vraiment de la peur?

Pourriez-vous me dire pourquoi nous nous empêchons de verbaliser nos faiblesses?

La peur d'avoir du déplaisir, la peur de perdre, la peur de décevoir… voilà certes les principaux freins de l'homme dans son cheminement vers les univers autres que le sien[8].

---

7. BALZANO, Flora, *Soigne ta chute*, Montréal, Éditions XYZ, 1992, p. 41.
8. BLONDIN, Robert, *Le guerrier désarmé*, Montréal, Éditions Boréal, 1994, p. 127.

Je ne suis pas capable? Pouvez-vous m'expliquer pourquoi?

L'expérience, voilà la façon qu'a l'âme d'apprendre[9].

Méfions-nous de donner une image de nous-mêmes exempte de toute fragilité. Qu'en est-il pour vous?
Croyez-vous que ce que l'on est n'a pas grande importance et que l'essentiel est d'exister?

—

La grandeur dans les petites choses, la noblesse et l'héroïsme dans les détails insignifiants de la vie quotidienne, voilà une rare vertu; celui qui la possède est un saint.
HARRIOT BEECHER-STOWE

—

Si nous avons peur de perdre ce que nous avons, alors ce que nous avons est en train de nous perdre. J'attends avec impatience vos commentaires!

On dit souvent qu'il ne faut rien croire avant d'avoir vu de ses propres yeux. Mais cela aussi est faux. Qu'en pensez-vous?

---

9. HILLMAN, James, *La beauté de Psyché*, Montréal, Éditions Le Jour, 1993, p. 288.

Tous les péchés sont des tentatives pour combler des vides.

Simone Weil, *La pesanteur et la grâce* (1988)

Un auteur a dit un jour: «Un tiers de l'humanité dort debout; un tiers de l'humanité fait des cauchemars et un tiers veille.» De quel tiers êtes-vous?

DITES-MOI… Le couple

Qu'entendez-vous par «je ne peux vivre sans toi» et «tu es tout pour moi»?

—

Pour beaucoup de femmes, le plus court chemin vers la perfection, c'est la tendresse.
FRANÇOIS MAURIAC
Asmoclée

—

Les piliers de l'amour supportent mal la trop grande proximité. Ils s'érigent de façon autonome, mais complémentaire. Que représente l'amour pour vous?

Nous savons que, souvent, l'individu met la meilleure partie de lui-même, sa confiance, sa générosité, sa douceur, dans son travail, dans sa profession. Que reste-t-il pour l'intimité?

Je ferais n'importe quoi si tu me le demandais.

Édith Piaf

Il y aura toujours des femmes trompées, des hommes trahis, le pacte conjugal n'est pas plus solide qu'un traité entre nations.

Charlotte Savary, *Le Député* (1961)

Mentir, c'est gagner sa vie.

Michel Dallaire, *L'œil interrompu* (1985)

—

Tu ne meurs que de ne pas donner assez.
ABEL GANCE
Cinéaste français

—

Petite histoire:

«On peut apprendre à conduire une voiture en vingt leçons car piloter est d'abord une question de technique et d'acquisition de réflexes, mais il n'existe aucune école ni aucune recette pour être calme ou prudent au volant[10].»

---

10. IDE, Pascal, *Construire sa personnalité*, Paris, Éditions Fayard, 1991, p. 34.

RÉFLEXION

▶ Si l'on veut un monde meilleur…
▶ Il faut qu'on s'y mette à plusieurs.
▶ Il faudrait penser autrement qu'individuellement…
▶ Il faudrait penser collectivement.
▶ Ensemble…

Conclusion

$\mathcal{M}$aintenant, à vous de prendre le volant et de réagir, de réfléchir, de sortir de vous, de l'écrire et d'accompagner ce cheminement d'une discussion, non pas pour trouver des explications, mais seulement pour échanger dans un élan de spontanéité. «Nous ne sommes sûrs ni l'un ni l'autre de nos réponses[1].»

Cette volonté de vouloir entreprendre une réflexion sur la qualité de vie et la recherche d'un mieux-être et de tenter quelques explications pourrait trahir une absence d'humilité, puisque, par définition, celui qui entreprend cette tâche atteint nécessairement son seuil d'incompétence. Il m'a semblé urgent, malgré tout, de courir ce risque. Cet ouvrage, grâce à de multiples emprunts, a tenté d'éveiller les consciences sur les dangers que sont l'égocentrisme, l'indifférence et l'oubli.

Dès l'introduction, je soulignais avec conviction que ce livre ne pourrait se lire comme une suite

---

1. COMTE-SPONVILLE, André et FERRY, Luc, *La sagesse des modernes*, Paris, Éditions Robert Laffont, 1998, p. 13.

logique, et une mise en garde dans ce sens a été faite à ceux qui recherchent une philosophie de vie axée strictement sur la rationalité, la structure, l'ordre, les procédures, les bénéfices, les interdictions, une voie que je qualifierais d'individualisme, de pouvoir, de contrôle.

—

La réussite du rationalisme à nous interdire l'accès à nos dimensions intuitives, sensibles, émotives et spirituelles nous prive de la moitié de notre vie.
JEAN HOUSTON

—

Si ce livre a touché votre âme, j'en serai d'autant plus heureux d'avoir couru le risque de vous déplaire, cher lecteur.

Parler de la qualité de vie, c'est s'autoriser à prendre du recul par rapport à soi-même, à interroger à l'externe ce que, souvent, nous ne voyons plus à l'interne.

Nous ne pouvons conclure par des solutions ou des réponses exactes pour comprendre les attitudes avec lesquelles nous devons composer. Comment se fait-il, en effet, qu'après la reconnaissance sensible de ces incertitudes, de ces promesses, de ces disparitions, en vertu de décisions prises par des êtres humains, on se retrouve de l'autre côté du mur tout en subissant une imperturbable attaque d'indifférence?

Ici les murs sont des hommes.
André Leduc, *De nulle part* (1987)

Les nouvelles technologies ne sont pas les seuls éléments qui nous déstabilisent; l'égoïsme nous coupe la respiration en nous laissant croire qu'il n'y a de plaisir qu'à penser à soi. Le paradigme dans lequel nous vivons est celui de l'indifférence et de l'oubli qui, aujourd'hui, nous rend aveugles dans l'ère de globalité, de mondialisation et de fragmentation que nous connaissons actuellement.

Nous sommes aspirés dans une formidable révolution de l'inconscience humaine. Je dis inconscience, surtout si nous composons avec des stratégies n'ayant d'autres buts que de renflouer notre petit moi superflu sans considération pour les autres. Je dis inconscience, si pour vous, vivre est adhérer à des valeurs qui prônent plus de pouvoir, de contrôle, de bénéfices, au détriment de la qualité de vie des gens de votre organisation de travail ou de votre cellule familiale. Je dis inconscience, quand je pense à tous ceux qui orientent leur existence dans l'objectif de s'approprier plus de biens matériels, jouant plus d'apparences, ayant plus de convoitises, faisant preuve de plus de manipulation, de plus de négligence, sans permettre aux énergies et aux talents des individus présents et futurs de s'exercer. À tous ceux-là, le futur semblera sans aucun doute synonyme d'angoisse et non d'espoir, de colère croissante et non d'apaisement.

Jamais dans l'histoire telle que nous la connaissons, l'homme n'a été autant qu'aujourd'hui un problème pour lui-même.
MAX SCHELER
La Situation de l'homme dans le monde

Pour toutes ces raisons, nous assisterons vraisemblablement, dans les années à venir, à un raz de marée de restructuration, de préjugés, de souffrance, et dont la récente vague de bouleversements n'est qu'un avantgoût. Devant cette folie d'inconscience, réfléchissons tous ensemble sur la condition humaine et repensons nos priorités personnelles et collectives. Il s'agit ici d'aider, d'aller vers l'autre. L'anthropologue Margaret Mead remarqua un jour: «Si on y prête attention, on voit que presque tout ce qui compte vraiment pour nous, tout ce qui incarne nos plus profondes convictions, quant à la façon dont la vie humaine devrait être vécue et protégée, dépend de quelque forme (et souvent de nombreuses formes) de bénévolat.» Pour Jeremy Rifkin, «On peut donc espérer qu'une nouvelle vision du monde, fondée sur la transformation de la conscience et un nouvel élan de solidarité, prévaudra[2].»

---

2. RIFKIN, Jeremy, *La fin du travail*, Paris, Éditions La Découverte, 1996, p. 326.

Il devient donc urgent que «les souffrances engendrées par des crises permettent aux êtres humains de mieux comprendre leur situation et d'inventer individuellement et collectivement d'autres façons de faire et d'autres façons d'être[3]».

Une nouvelle vision de la réalité nous est nécessaire, tout comme un changement fondamental de nos pensées, de nos perceptions et de nos valeurs. Nos certitudes doivent aussi être accompagnées de leur contraire: les doutes. Nos connaissances ont aussi besoin de leur partenaire: l'intelligence émotionnelle, tout comme la main a besoin de la tête et du cœur pour initier le talent, la vision, l'émotion et la création.

Sur le plan individuel, toute action dans un ensemble organisé devrait reposer, pour reprendre une expression empruntée à Paul Ricœur, sur un triple souci: le souci de soi, le souci des autres, le souci de la communauté ou de la société. Les attitudes individuelles ne sont jamais dissociables des attitudes collectives. Le développement n'est possible que si les organisations ou les sociétés, c'est-à-dire les gens qui participent, ont un double souci: celui des personnes et celui de la collectivité. Désormais, il ne s'agit plus d'aider les personnes souffrant d'un simple besoin financier, mais plutôt de redonner un sens à des vies brisées. Ce nouveau type de solidarité ne se développera pas sans engagement personnel.

---

3. PAUCHANT, C. Thierry *et al.*, *La quête du sens*, Montréal, Éditions Québec Amérique, 1996, p. 15.

L'adulte, c'est vous et c'est moi, dans la rue comme au travail, comme célibataire, comme couple, comme ami, comme étranger, dans les loisirs, dans les attentes, dans les imperfections. Nous nous retrouvons, en cette époque qui est la nôtre, devant des défis, des réflexions, des occasions et des choix dont la variété, l'envergure et la complexité rivalisent avec nos obligations morales. Nous sommes désormais devenus responsables de l'existence même des générations futures. Enfin, même si la responsabilité est une question qui relève de chacun de nous, elle est profondément attachée au caractère collectif de nos actions.

Au cours de cette aventure de recherches et de rencontres, une question fondamentale s'est imposée à moi sur la nature de ce livre: *Qu'est-ce qui peut vraiment amener l'adulte à changer?* J'en conclus que la personne est presque partie intégrante de ses problèmes. Je lui demande de réagir, de créer en elle un peu plus de délinquance, un peu plus de désordre pour s'éloigner de toute forme de sédentarité, de contrecarrer l'épidémie de passivité, de nommer le mal, qu'elle en soit la victime ou l'auteur. Ses attitudes sont le reflet de ce qu'elle est, et elle détient la clé de son changement.

Ce livre s'ouvre sur un second. Je vous y convie sans tarder, sans barrières, et surtout dans une ambiance où le calme, le plaisir et le rire seront au rendez-vous. Rédigeons ensemble les mots, les phrases; décrivons les situations, les difficultés, les joies et les peines. Le grand public a toujours été ma première référence dans le domaine de l'apprentissage de la vie. Ma conclusion s'adresse donc directement au lecteur, à ses émotions, à ses préjugés, à ses peurs, à ses incertitudes, à ses folies, qui sont, au fond, les mêmes pour tous dans des situations, à des intensités diverses et dans des moments différents.

Que diriez-vous de prendre (ou de reprendre) des vacances pour jeter un nouveau regard sur vous-même et découvrir la contribution que nous pourrions tous accorder à l'amélioration de nos relations humaines? Pierre Karch disait, dans *Noëlle à Cuba* (1988): «S'il est vrai qu'en vacances on laisse tomber son masque, c'est souvent pour en laisser paraître un autre.» Alors, je vous demande de déposer votre masque et de réfléchir aux attitudes à adopter dans les nouveaux décors de la vie... Au plaisir de vous lire...

Personne ne peut prendre notre place. Chacun de nous a un fil à tisser dans la toile de la création. Personne ne peut tisser ce fil à notre place. Notre contribution est à la fois unique et irremplaçable. Ce que nous refusons à la vie est perdu à tout jamais. Le monde entier dépend de nos choix individuels.

DUANE ELGIN

Témoignages

Si vous désirez partager des histoires, des commentaires ou des réflexions afin que l'auteur puisse s'en servir à des fins de conférence ou d'écriture d'un prochain livre, vous pouvez acheminer votre témoignage en composant à l'adresse électronique ci-dessous. (Bien sûr, les noms et coordonnées des personnes seront changés afin de préserver l'anonymat.)

Carol Allain
www.productionscarolallain.com

Bibliographie*

ALAIN, *Mars ou la Guerre jugée*, Paris, Éditions Gallimard, 1969.

ALAIN, *Propos sur le bonheur*, Paris, Éditions Gallimard, 1928.

ARENDT, Hannah, *Condition de l'Homme moderne*, Paris, Éditions Calmann-Lévy, 1983.

BARICCO, Alessandro, *Soie*, Paris, Éditions Albin Michel, 1997.

BARRYMORE, Ethel, *Memories, an Autobiography*, New York, Harper, 1955.

BAUDELAIRE, Charles, *Journaux intimes*, XVIII.

BAUDRILLARD, Jean, *La société de consommation*, Paris, Éditions Denoël, 1970.

BAUER, Jan, *Impossible Love*, Éditions Spring Publication, Connecticut, 1993.

BERNARD, Claude, *Philosophie*, manuscrit inédit, Paris, Éditions Jacques Chevalier, 1954.

BLONDIN, Robert, *Sept Degrés de Solitude Ouest*, Montréal, Éditions Quinze, 1989.

CARDONNEL, Jean, *L'insurrection chrétienne*, Paris, Éditions Stock, 1975.

---

* La plupart des titres cités dans cet ouvrage apparaissent dans cette bibliographie.

CHAREST, Rémy et LEPAGE, Robert, *Quelques zones de liberté*, Québec, Éditions L'instant même/Ex-machina, 1995.

CHÂTEAU, Jean, *L'enfant et le jeu*, Paris, Éditions Scarabée, 1985.

CHODRON, Pema, *Entrer en amitié avec soi-même*, Paris, Éditions La Table Ronde, 1997.

CHRISTENSEN, Andrée, *Pavane pour la naissance d'une infante défunte*, Ottawa, Éditions Le Nordis, 1993.

COELHO, Paulo, *La Cinquième Montagne*, Paris, Éditions Anne Carrière, 1998.

COMTE-SPONVILLE, André, *Petit traité des grandes vertus*, Éditions P.U.F., Paris, 1995.

COMTE-SPONVILLE, André, «La société en quête de valeurs et de maxima» in *Une morale sans fondement*. Paris, Laurent du Mesnil, 1996.

CORNEAU, Guy, *L'amour en guerre*, Montréal, Éditions de l'Homme, 1996.

DALLAIRE, Michel, *L'Œil interrompu*, Sudbury, Éditions Prise de Parole, 1985.

De KONINCK, Thomas, *De la dignité humaine*, Paris, Éditions P.U.F., 1995.

DE SAINT-EXUPÉRY, Antoine, *Le Petit Prince*, Paris, Éditions Gallimard, 1946.

DESJARDINS, Arnaud, *Regards sages sur un monde fou*, Éditions La Table Ronde, Paris, 1997.

DICKSON, Robert, *Or(é)alité*, Sudbury, Prise de Parole, 1978.

ENGELHARD, Philippe, *L'homme mondial*, Paris, Éditions Arléa, 1996.

ERICKSON, Milton H., *Mind Body Communication in Hypnosis*, New York, Irvington Publishers, 1986.

ÉTHIER-BLAIS, Jean, *Le manteau de Ruban Dario*, Montréal, L'arbre/HMH, 1974.

FERRUCCI, Franco, *Lettre à un adolescent sur le bonheur*, Paris, Éditions Arléa, 1995.

FINLEY, Guy, *Lâcher prise*, Montréal, Éditions Le Jour, 1993.

FITZGERALD, Francis Scott, *La Fêlure*, Paris, Éditions Gallimard, 1963.

FLAMAND, Jacques, *Mirage*, Ottawa, Éditions du Vermillon, 1986.

FROMM, Erich, *Avoir ou Être*, Paris, Éditions Robert Laffont, 1978.

FROMM, Erich, *L'Art d'aimer*, Desclée du Brouwer, Paris, 1983.

GANDHI, Mahatma, *Tous les hommes sont frères*, Paris, Gallimard, 1958.

GERMAIN-THOMAS, Olivier, *Bouddha, terre ouverte*, Paris, Éditions Albin Michel, 1993.

GODBOUT, Jacques T., *Les grandes conférences*, Montréal, Éditions Fides, 1996.

GRAY, Martin, *Au nom de tous les miens*, Paris, Éditions Robert Laffont, 1971.

GUILLEBAUD, Jean-Claude, *La refondation du monde*, Paris, Éditions du Seuil, 1999.

HALLÉ, Albertine, *La Vallée des blés d'or*, Sudbury, Éditions Prise de parole, 1983.

HENRIE, Maurice, *La Savoyane*, Sudbury, Éditions Prise de parole, 1996.

HERTEL, François, *Vers une sagesse*, La Diaspora française, Paris, 1966.

HILLMANN, James, *La beauté de Psyché*, Montréal, Éditions Le Jour, 1993.

HOUELLEBERG, Michel, *Les particules élémentaires*, Paris, Éditions Flammarion, 1998.

IDE, Pascal, *Construire sa personnalité*, Paris, Éditions Fayard, 1991.

JAMPOLSKY, Gerald G., *Aimer, c'est se libérer de la peur*, Éditions Soleil, 1986.

JARDIN, Alexandre, *Le zubial*, Paris, Éditions Gallimard, 1997.

JONAS, Hans, *Le droit de mourir*, Paris, Éditions Rivages, 1996.

JULIEN, François, *La propension des choses: Pour une histoire de l'efficacité en Chine*, Éditions du Seuil, Paris, 1992.

KUNDERA, Milan, *La lenteur*, Paris, Éditions Gallimard, 1994.

LABERGE, Marie, *Quelques Adieux*, Montréal, Éditions du Boréal, 1992.

LAO TSEU, *Tao-Tö King*, Paris, Éditions du Seuil, 1965.

LA ROCHEFOUCAULD, *«Réflexions diverses, 5»* (*De la confiance*), *Maximes et réflexions*, Paris, Le livre de poche, 1965.

LEAVITT, Harold, DILL, William et EYRING, Henry, *The Organizational World*, New York, Harcourt Brace Jovanovich, 1973.

LE BON, Georges, *Hier et demain*

LEDUC, André, *De nulle part*, Sudbury, Éditions Prise de Parole, 1987.

MALHERBE, Jean-François, *L'incertitude en éthique, Les grandes conférences*, Montréal, Éditions Fides, 1996.

MARTIN, Hans-Peter et SCHUMANN, Harald, *Le piège de la mondialisation*, Paris, Éditions Actes Sud, 1997.

MAURIAC, François, *Asmoclée*, Paris, Éditions Grasset, 1938.

MEAD, Margaret, *Du givre sur les ronces*, Paris, Éditions du Seuil, 1977.

MILL, John Stuart, *De la liberté*, Paris, Éditions Gallimard, 1990.

MONBOURQUETTE, Jean, *Apprivoiser son ombre*, Ottawa, Bayard Éditions/Centurion, 1997.

MUIR, Michel, *L'Impossible Désert*, Hearst, Le Nordir, 1992.

NIETSZCHE, Friedrich, *Considérations inactuelles*, Paris, Éditions Gallimard, 1992.

OUAKNIN, Marc-Alain, *Les dix commandements*, Paris, Éditions du Seuil, 1999.

PAVESE, Cesare, *Le métier de vivre*, Paris, Éditions Gallimard, 1977.

PECK, Scott, *Le chemin le moins fréquenté*, Paris, Éditions Robert Laffont, 1987.

RIFKIN, Jeremy, *L'Âge de l'accès*, Paris, Éditions du Boréal, 2000.

ROUSTANG, François, *La Fin de la plainte*, Paris, Éditions Odile Jacob, 2000.

SANTAYANA, Georges, *Le Dernier Puritain*, Paris, Éditions Gallimard, 1948.

SAVARY, Charlotte, *Le Député*, Montréal, Éditions Le Jour, 1961.

SCHELER, Max, *La situation de l'homme dans le monde*, Paris, Aubier, 1951.

SELYE, Hans, *Stress without distress*, New York, J. B. Lippincott Co., 1974.

SHAW, George Bernard, *Correspondance avec Mrs Patrick Cambell*, Paris, Calmann-Lévy, 1961.

SOMAIN, Jean-François, *Dernier départ*, Montréal, Éditions Pierre Tisseyre, 1989.

SOMAIN, Jean-François, *Les Grimaces*, Montréal, Cercle du Livre de France, 1975.

THÉRIO, Adrien, *Les Fous d'amour*, Montréal, Jumonville, 1973.

THOREAU, Henry David, *Walden ou la vie dans les bois*, Paris, Éditions Gallimard, 1922.

TWAIN, Mark, *Le prince et le pauvre*, Paris, Éditions Gallimard, 1980.

VERGELY, Bertrand, *La souffrance*, Paris, Éditions Gallimard, 1997.

VIORST, Judith, *Les renoncements nécessaires*, Paris, Éditions Robert Laffont, 1988.

WARD, Artemus, *Histoire naturelle*, 1861

WEIL, Simone, *La pesanteur et la grâce*, Paris, Éditions Plon, 1988.

WILBER, Ken, *Les trois yeux de la connaissance, la quête d'un nouveau paradigme*, Monaco, Éditions du Rocher, 1987.

Remerciements

J e tiens à remercier Julie Bédard pour ses remarques et ses judicieux conseils qui m'ont soutenu tout au long de la recherche et de la rédaction de ce livre. Son amicale sollicitude m'a donné le courage d'en entreprendre une version finale plus accessible et, pour tout dire, allégée. Je tiens à lui exprimer toute ma reconnaissance et à souhaiter une longue vie à notre amitié.

NOTES

NOTES

NOTES

NOTES

NOTES

NOTES

NOTES

NOTES

IMPRIMÉ AU CANADA